Devenir tout Jonathan

éditions Asticou

case postale 210, succursale A
Hull (Québec) J8Y 6M8
(819) 776-5841

PRODUCTION
Conception graphique et typographie: *André Couture*
Page couverture : *Jean-Philippe Fauteux*
Illustrations: *Carole Myers*
Photographie de l'auteur: *Serge Blondin*
Impression: *imprimerie Gagné*

DISTRIBUTION
Diffusion Prologue inc.
2975, rue Sartelon, Ville Saint-Laurent (Québec) H4R 1E6
Au téléphone: (514) 332-5860 ou, de l'extérieur de Montréal, 1-800-363-2864

DÉPÔT LÉGAL
Premier trimestre de 1987
Bibliothèque nationale du Québec
Bibliothèque nationale du Canada

ISBN 2-89198-069-7

Devenir tout Jonathan

BERNARD-PAUL LACROIX, m.d.

Tout homme reçoit deux sortes d'éducation.
L'une qui lui est donnée par autrui
et l'autre, beaucoup plus importante,
qu'il se donne lui-même.
(Gustave Thibon)

N'AIE PAS PEUR . . . LAISSE ALLER TES PEURS . . . VOIS . . . ENTENDS . . . TOUCHE . . . SOIS . . . AIME . . . TU ES NÉ POUR GAGNER (VAINCRE) . . . TU N'AS D'AUTRE MISSION SUR CETTE TERRE QUE D'AIMER ET, CE FAISANT, DE TE RÉALISER . . . CAR TU ES L'AMOUR . . . (BPL)

Avant-propos

Chers lecteurs,

Ce livre, je l'ai lu, relu, revécu, colligé, allégé et agrémenté d'idées et d'expériences nouvelles tout en demeurant fidèle au thème et au sentiment originaux. J'ai tenté d'ajuster le tir, d'y mettre plus de puissance. C'est en dansant que l'on devient bon danseur. Encore une fois, j'y ai mis des vibrations personnelles profondes. Je n'aime pas les bruits métalliques, l'artifice creux ni le poudrage.

Beaucoup de lecteurs m'ont écrit et m'ont livré leurs impressions et suggestions. Ils m'ont fait part de leurs expériences personnelles. Je les en remercie de tout coeur. Plusieurs se sont reconnus, ont été profondément touchés et motivés à reprendre courage et à foncer vers l'avant dans leur cheminement personnel, leur pèlerinage terrestre.

Je leur dis ma joie profonde et ma vive émotion, parfois même douloureuse. Je continue à grandir avec eux, à réapprendre à m'ouvrir à la pensée universelle et à manifester l'amour.

Je les remercie pour ces généreux témoignages et cet encouragement. Vraiment, ce livre fut pour moi une inspiration, un tremplin pour d'autres ouvrages, **Les pieds dans le ciment**, **Rx = Prescription énergétique**, **Qui sont ces guérisseurs?** et **Au pays des mouettes**, et pour de nombreux ateliers et conférences sur la motivation.

En effet, ma symphonie est loin d'être achevée . . . Plus je joue bien ma musique, plus j'ai le sentiment profond d'être un véritable enfant de l'univers, heureux et rempli d'énergie, sans jamais avoir l'impression d'avoir terminé son jeu. C'est merveilleux . . .

Viendras-tu jouer avec moi, toi aussi, le jeu de la vie? Je t'attends . . . Viens . . . Et surtout aime-toi bien . . .

Toute mon affection!

Bernard
mars 1987

Préface

Pour résumer ce livre, il faut penser à:

P = Programmation (éducation, ouverture d'esprit)
P = Prospérité (abondance de paix, santé, bonheur)
P = Peurs (pessimisme, doutes, orgueil, etc.)
P = Positivité (amour de soi et des autres)
P = PARDONNER (laisse aller)
P = Perfectionnement (excellence, succès, croissance)
P = Persévérance (discipline, ténacité)
P = Profondeur (spiritualité, sens à la vie, travail, etc.)
P = Programmation et reprogrammation (rééducation).

À tous ceux qui n'ont pas encore tout abandonné, je veux offrir ce livre de motivation et d'épanouissement personnel en guise de solution au suicide, à la mort lente, à la dépression, à l'alcool et d'autres abus de soi, à la fatigue chronique, à la vie plate, plate, plate . . .

J'y ai mis du coeur . . . Et toi . . .

Bernard-P. Lacroix

Remerciements

Le maître est ce doigt pointant en direction de la lune. Une fois découverte, je n'ai plus besoin du guide.

On peut toujours apprendre d'un plus petit que soi. On peut toujours apprendre de quelqu'un qui nous semble inférieur . . .

Et j'ai appris de nombreux amis qui, peut-être sans le savoir, m'ont montré le chemin vers l'excellence . . .

Je veux remercier particulièrement Marc S. pour avoir donné une tape à mon orgueil à l'âge de dix-huit ans, en me disant: «Bernard, tu es orgueilleux.» Aussi, ai-je essayé de garder l'esprit ouvert, ma tasse à moitié remplie . . .

Mes remerciements s'adressent également à:

- Normand et Robert, et à leur mère, pour m'avoir montré à laisser aller, à mourir et comment prendre soin des mourants;
- à Lise et Robert, pour m'avoir aidé à découvrir les bienfaits du recueillement ou de la méditation;
- à Gerry B., pour m'avoir indiqué le chemin d'Esalen;
- à Vince G., Kitt S. et Ken A., pour m'avoir aidé à redécouvrir le grand enfant, l'enfant libre qui est en dedans de moi et en chacun de nous;
- à Marielle T., pour m'avoir donné le goût de Jonathan le goéland, qui était à fleur de peau, prêt à s'extérioriser;
- à Robert, Thérèse, Bertrand et Louisette, pour m'avoir ouvert bien grande la porte de la grande école du leadership et du succès;
- à Noëlla Brunelle, pour le beau poème *L'éveil*;
- à Dominique S., pour la découverte de l'autosuggestion et de l'autohypnose;

– à Mark Lefebvre, pour deux belles chansons sur l'amitié et l'acceptation de soi;
– à Gilles Bessette, pour le poème *L'amour!*;
– à Céline Lavallée et Monique Martel, pour la patience et le dévouement à préparer mon manuscrit;
– à Carole Myers, pour l'aide apportée dans l'art graphique (une image vaut mille mots);
– aux nombreux amis qui m'ont gracieusement prêté leur temps et leur talent à réviser le texte et qui m'ont offert suggestions et appui, particulièrement Carmen Laporte et Danielle Dany;
– à tous mes parents et nombreux amis qui ont contribué directement ou indirectement à cette odyssée, je veux dire ma profonde reconnaissance et mon attachement à la fois dégagé et proche.

SALUT À TOI

Dédicace à Saïd et à tous ses semblables

Chers frères Jonathan, au nombre illimité!

J'ai écrit ce livre à l'intention de tous ceux qui, n'ayant pas trouvé la vérité à l'extérieur d'eux, sont prêts à risquer un cheminement intérieur, à la recherche de leur propre identité et d'un sens à leur vie.

Ce livre pourra servir de carte de route dans leur cheminement vers la réalisation de tout leur potentiel.

C'est mon plus grand souhait qu'ils n'aient pas peur de la vie, et qu'ils prennent le goût de risquer l'amour sans condition et sans attachement . . . de risquer le succès ou l'excellence, tout comme Jonathan le goéland.

Vous tous, chers Jonathan, jeunes ou moins jeunes, sachez que j'ai écrit ce livre avec coeur et amour. Souvent, j'ai versé des larmes, tellement que je ne voyais plus les mots que j'écrivais, à la pensée de ces humains si mal programmés, mal conditionnés, victimes de leurs peurs et prisonniers d'une programmation plutôt négative de leur esprit.

Ce que je dis en mots ressemble à ma pensée, et ce que tu liras entre les lignes ressemblera à mon coeur . . .

Si seulement une pensée vivante aide quelqu'un dans son cheminement ou sa croissance, cet ouvrage et cet exercice auront été valables à mes yeux . . .

S'il n'y a qu'une pensée qui puisse te motiver à réaliser ton potentiel, à t'animer en quelque sorte, ma mission sera remplie, mon labeur prendra tout son sens . . .

Bernard

INTRODUCTION

Ce livre aura vu l'eau, les rivières, les lacs et les océans. Il sera né près du rivage . . . hors de ma conscience et de mon coeur.

À plusieurs reprises, ça coulera . . . Je devrai m'arrêter afin de tarir mes larmes et éclaircir ma vision.

Les larmes sont le reflet de l'émotion, et ces émotions étant exprimées extérieurement libèrent et nettoient l'esprit et éclaircissent la vision intérieure.

Je n'ai jamais eu peur de pleurer . . .

Ce livre parlera de moi, de toi, de la vie, des peurs, de l'amour, du succès, des attitudes, de la programmation initiale ou d'un premier conditionnement. Il t'invitera à lâcher prise, à changer ou à te guérir de certaines sottises ou fausses pensées et croyances négatives (doutes) et à réviser tes attitudes envers toi-même, la vie et les autres autour de toi.

Ce livre te parlera et te montrera le chemin vers la réalisation de ton plein potentiel, comment devenir tout Jonathan, et manifester toute ta beauté – et vérité – intérieure.

Il y a en chacun de nous un Jonathan qui aspire à apprendre à voler le plus haut possible, à aller jusqu'au bout de soi, vers l'excellence et la pleine réalisation de soi, à apprendre à vivre pleinement sa vie, à célébrer l'énergie vitale qui coule dans nos veines, cette énergie qui est une énergie mentale transformée en un plein appelé amour.

Nous sommes nés par l'amour, nous nous développons avec l'amour et nous devons manifester l'amour autour de nous en commençant par soi-même.

La vie est un banquet . . . Pourquoi y apporter son dîner?

L'ÉVEIL

Pendant très longtemps, je suis demeuré caché
sous les couches de sol, de roc
et j'ai attendu.

Je pouvais ressentir
la vie au fond de moi battre faiblement
Mais les couches de sol, de roc
m'emprisonnaient.

Jusqu'au jour où une voix douce, je ne sais
de quelle part, m'a dit discrètement:
«Écoute ta voix intérieure.»

Alors, je prêtai l'oreille
et bientôt j'ai entendu soudre
sous les couches de sol, de roc
cette voix profonde de l'intérieur.

Lentement, très lentement, j'ai ressenti
une chaleur m'envahir complètement
et m'envelopper de son confort et de sa vigueur.

«N'aie pas peur, je suis ton amie.
Il y a tant à découvrir
autre que des couches de sol, de roc.
Fais-moi confiance.»

Attiré par cette voix douce,
j'ai poussé mes tiges
à travers les couches de sol, de roc
et j'ai entrevu la lumière.

Aveuglé quelque peu, j'ai fait une pause
et j'ai été tenté de retourner sur mes pas
vers cette obscurité familière.
«N'aie pas peur, m'a-t-on chuchoté
Vois. Entends. Ressens. Sois!»

Timidement d'abord
j'ai déroulé mes tiges
une par une, comme pour goûter.
Et, une fois rassuré,
je me suis déployé davantage.

Non, jamais plus, je ne retournerai
sous les couches de sol, de roc
Maintenant que j'ai entendu
et ressenti cette pulsion intérieure,
Je veux m'épanouir à jamais.

Noëlla Brunelle, septembre 1983.
(Traduction de BPL)

Nous sommes nés libres et gagnants . . .

Nous devons nous libérer de nos peurs et vivre en toute liberté.

Il n'appartient qu'à nous de nous libérer pour vivre pleinement notre vie . . .

Notre seul péché, c'est de refuser l'amour, de refuser de grandir, de se réaliser et de devenir tout soi-même, tout Jonathan.

C'EST ENTRE NOS MAINS . . .

QUELLE HEURE EST-IL DANS TA VIE?

Peut-être est-ce l'heure du réveil, de se réveiller à la grande loi universelle de la causalité et du mental.

Je suis le maître de mes pensées et par mes pensées je crée toute ma réalité, toutes mes circonstances de vie . . .

Ce que l'homme pense dans son coeur, tel il est . . .

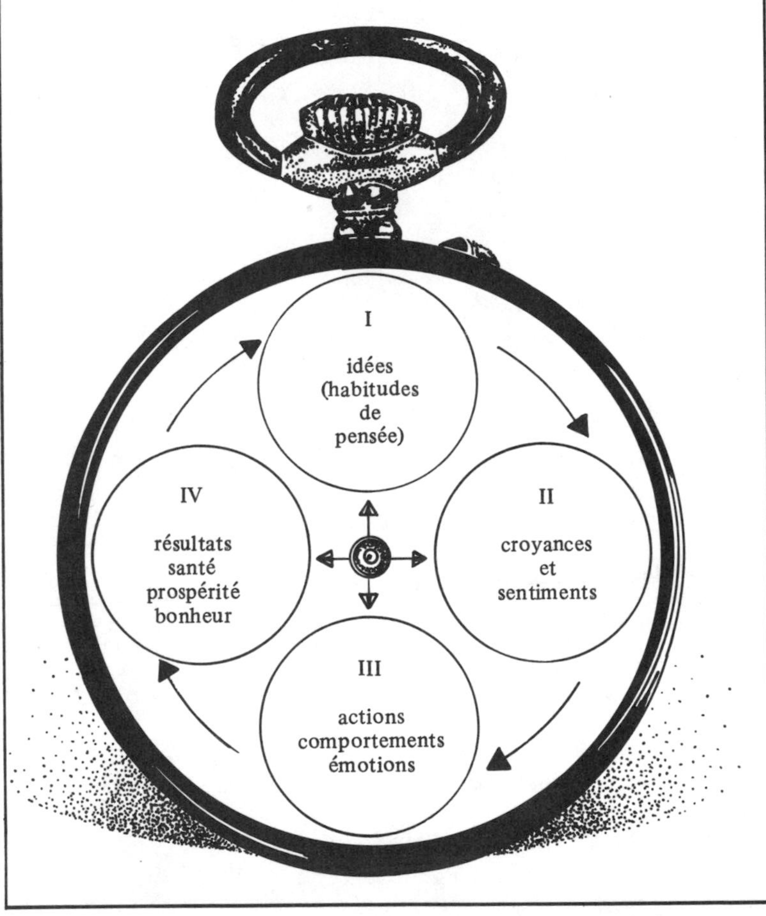

QUELLE HEURE EST-IL?

Il est l'heure du réveil rural . . . Chaque individu doit, tôt ou tard, s'éveiller l'esprit, sortir de sa léthargie ou torpeur, de son «moutonnisme» (faire comme les autres et peur d'être différent).

Chaque individu doit, un bon jour, sortir de sa drogue, soit celle de la rue, de sa petite cuisine (caféine, nicotine, alcool), soit celle de la routine quotidienne ou de la passivité (télé, etc.) ou de l'agitation (évasion dans le travail, etc.) ou du plaisir éphémère et passager (films, parties, etc.).

Il est l'heure d'arriver non à l'âge de raison (âge légal de 18 ans où il nous est permis par la société de boire de l'alcool, de conduire une voiture, etc.), mais bien à l'âge adulte au niveau émotif et mental, c'est-à-dire une grande aventure de l'esprit et du coeur, une capacité de penser juste et d'aimer gratuitement.

L'amour adulte, issu d'un esprit ouvert et renseigné, favorise la prise en charge de soi, de sa vie à part entière . . . «C'est ma vie . . .» d'affirmer un jour ma grande fille à sa mère . . . Bravo! C'est ta vie! Je suis parfaitement d'accord et tu en es complètement responsable! C'est ça, la vie adulte! Tu n'as pas à blâmer tes parents ni la société pour ton sort. C'est cela se prendre en mains . . .

Que de jeunes ou de moins jeunes passent leur vie à blâmer les autres, tels des adolescents ou des gens immatures!

Un soir de Noël, autour de la table pour le repas préparé avec amour, je rappelais à mes grands enfants presque devenus adultes cette vérité. Depuis la naissance jusqu'à l'âge de 10–14 ans, les parents peuvent contrôler plus ou moins bien les actions de leurs enfants. Durant l'adolescence, ceux-ci doivent apprendre à prendre charge de leurs sentiments et leurs émotions, ne pas détruire mais se bâtir eux-mêmes et certains projets.

Mais, tôt ou tard, ils doivent devenir adultes, responsables de leur programmation mentale et, partant, de leur vie. En prenant charge de leurs pensées, si celles-ci sont ouvertes à la connaissance et à la pensée universelle, ils peuvent contrôler et posséder des sentiments positifs envers eux-mêmes et les autres; ils peuvent aussi contrôler leurs émotions et leurs actions, créant ainsi pour eux-mêmes les meilleurs résultats, circonstances ou réalités possibles dans leur vie personnelle.

C'est l'heure de la responsabilité de soi . . .

DEVENIR PLEINEMENT HUMAIN, PLEINEMENT EN VIE . . .

L'ouverture du coeur, ou le développement de l'émotivité ou de la capacité de ressentir et d'aimer en apprenant à s'ouvrir l'esprit et à penser juste, voilà le thème central de ce livre.

Nous sommes nés pour lutter et gagner, pour aimer et vaincre. Les autres choix sont l'ennui, la solitude, la fatigue chronique, le manque d'énergie, l'abus de drogues et les autres formes subtiles de destruction systématique de soi ou d'une mort lente.

Si tu es intéressé à grandir, grandir, grandir et devenir tout toi-même, tout ce dont tu es capable et que tu te dois de devenir, alors ce livre s'adresse à toi.

DEVENIR TOUT JONATHAN ou Ma lutte pour devenir une meilleure personne n'est pas un traité ni une analyse en profondeur des désordres psychosomatiques de l'humanité.

Toutefois, il faut pouvoir apprécier *la grande influence de l'esprit sur le corps* (*du psychologique sur le physiologique*) ainsi que les conséquences que nos attitudes et nos émotions négatives, ayant leur origine dans la peur, ont sur notre santé en général et sur notre bonheur et notre paix intérieure. La réalité mentale précède toujours la réalité physique, et la conscience précède la matière.

Ce livre pourra servir de guide vers une maturité psychologique et de témoignage personnel pour celui qui cherche à se réaliser pleinement, un peu plus, un peu mieux, chaque jour.

DEVENIR TOUT JONATHAN ou Ma lutte pour devenir une meilleure personne n'est pas non plus un livre de recettes magiques, faciles et rapides, pour sa croissance personnelle, mais plutôt une invitation à grandir.

C'est une exploration des nombreux chemins ou sentiers vers une croissance ou une maturité psychologique. Il pourra aider à augmenter la lucidité afin de mieux reconnaître l'essentiel de la vie . . . cet essentiel étant invisible à l'oeil, de nous dire le Petit Prince de Saint-Exupéry . . . cet essentiel étant l'amour . . .

Ce livre est le résumé de luttes personnelles vers une reprogrammation ou vers une redécision à changer mon programme initial en m'éloignant d'un programme de peur, avec une image plutôt négative et une confiance en moi assez faible (5/10), vers un programme d'amour de soi et de bonne confiance en soi (10/10) en se dirigeant vers le succès.

Tout ce cheminement intellectuel et émotif implique et reflète une croissance spirituelle, car nous sommes d'abord des être spirituels . . . plutôt que physiques . . .

Ce livre décrit la programmation initiale des humains, une programmation souvent fautive et négative basée sur la peur et non sur l'amour.

L'invasion de l'esprit, ou la prédominance de la raison sur les sentiments, de l'intellectuel sur l'émotif, de la tête sur le coeur, entraîne systématiquement vers une domination de l'esprit.

Dans un premier temps, je donnerai quelques détails de ma programmation initiale et je dirai comment j'ai vécu mon scénario jusqu'au jour où j'ai entrepris un voyage intérieur et une méditation régulière, à l'âge de 37 ans.

Ensuite, nous regarderons le phénomène de l'amour comme base essentielle et source d'énergie principale pour l'humain. Puis, nous verrons mon cheminement vers une programmation plus positive basée sur l'amour, incluant un entraînement en analyse transactionnelle, en gestalt et en bio-énergie.

Puis, je traiterai d'une programmation vers le succès et d'un développement vers l'excellence, en passant par mes nombreuses expériences de vente, puisque vivre c'est vendre.

Dans les chapitres suivants, j'aborderai une nouvelle médecine qui favorise la santé à son meilleur grâce à une attitude mentale positive, une nutrition optimale et un conditionnement physique.

La symphonie est inachevée . . .

Comme conclusion à ce livre, tant et aussi longtemps que je vivrai d'amour, je voudrai réaliser tout mon potentiel.

Durant plus de 20 ans comme médecin, j'ai entendu et vu beaucoup de misère humaine, soit à mon cabinet de consultation ou à l'hôpital et dans mon pèlerinage.

J'ai appris à écouter les gens, à les comprendre et, à travers différents symptômes, à reconnaître leurs peurs.

J'ai regardé les gens dans les yeux, non seulement avec un ophtalmoscope, mais avec les yeux du coeur. Au delà de la rétine, j'ai appris à reconnaître les motifs ou les mobiles d'action des gens. J'ai exploré les nombreux orifices du corps humain, mais l'essentiel n'était pas là.

J'ai examiné avec des otoscopes, des laryngoscopes, des stéthoscopes, des signoïdoscopes, des anuscopes et d'autres scopes. J'ai écouté des souffles cardiaques, des bruits vasculaires, intestinaux, pulmonaires, de toutes sortes.

J'ai regardé partout, dans le sang, avec des rayons X et des ultra-sons, et j'ai accumulé une banque d'informations, de renseignements cliniques et de données biologiques. Mais l'essentiel de la nature humaine est invisible à l'oeil nu . . .

Avant que je ne me connaisse moi-même vraiment en profondeur, je n'ai jamais appris grand-chose au sujet des humains . . .

Dans la mesure où j'ai exploré vers les racines de mon subconscient, j'ai pu découvrir, j'ai pu apercevoir les forces qui motivent les gens dans leur comportement et leur changement. En m'appliquant assidûment, j'ai appris à ressentir ces forces ou ces vibrations intérieures provenant de mon subconscient ou de celui des autres. Aussi, ai-je appris à poser les questions essentielles, à accepter que beaucoup d'entre elles restent sans réponse. Notre esprit conscient a une capacité illimitée à fabriquer des questions et des peurs. *Je n'aurai jamais toutes les réponses.*

Mais, à part les nombreuses questions sans réponse, ces humains, tout comme moi, avaient des sentiments et des aversions profondes, des besoins émotifs à satisfaire, des peurs, de nombreuses peurs . . .

Ce livre ressemble à une peinture. Il a été écrit en peignant ma vie par petits épisodes ici et là, coups de plume par ci, coups de plume par là, un peu comme une série de notes personnelles que j'avais hâte de mettre sur papier et sur dictaphone pour faire un recueil de pensées et de réflexions sur l'art de vivre et un guide, ou une feuille de route, pour mes nombreux amis, tous des Jonathan en puissance.

Petit à petit, il a pris forme dans mon esprit et au tableau en enseignant à différents groupes d'amis intéressés à grandir, comme moi, et à réussir leur vie et leurs projets.

La peinture, l'écriture, la danse chorégraphique et la musique sont différentes formes de créativité qui libèrent l'humain tout en donnant de l'énergie.

La créativité est un centre et une source importante d'énergie chez l'humain, qui ne doit pas être supprimée sinon l'être se sent étouffé, étranglé.

J'ai vu une artiste new-yorkaise bloquer sa créativité et vivre cette expérience avec intensité, durant une session de croissance en gestalt à Esalen. Elle décrivait son angoisse, sa sensation d'étranglement, et elle devait se guérir de ce malaise par une décision de se servir de son talent, de ne plus l'ignorer.

Créer exige du courage et du coeur, et cela donne de l'énergie. Quand on ouvre la valve de l'énergie créatrice, il y a une montée ou un surcroît d'énergie de vie. On ne peut pas, on ne doit pas refouler en vain l'expression de sa créativité, de cette énergie créatrice.

Un malaise profond en est la résultante et constitue la raison principale pour laquelle des artistes et nombre de personnes aspirant à l'excellence et à la liberté vont émigrer et même risquer leur peau vers une liberté d'expression de leur créativité.

Lorsque cette énergie créatrice est refoulée, un malaise profond, une frustration, une inertie et un manque d'énergie se manifestent sous la forme de hauts taux d'alcoolisme et de diminution de la productivité, tels qu'observés dans les nombreux endroits où la liberté d'expression est restreinte.

Créer, organiser, entreprendre des projets, voilà autant d'autres activités qui engendrent de l'énergie chez l'humain tout comme le travail, le jeu, l'activité sexuelle . . .

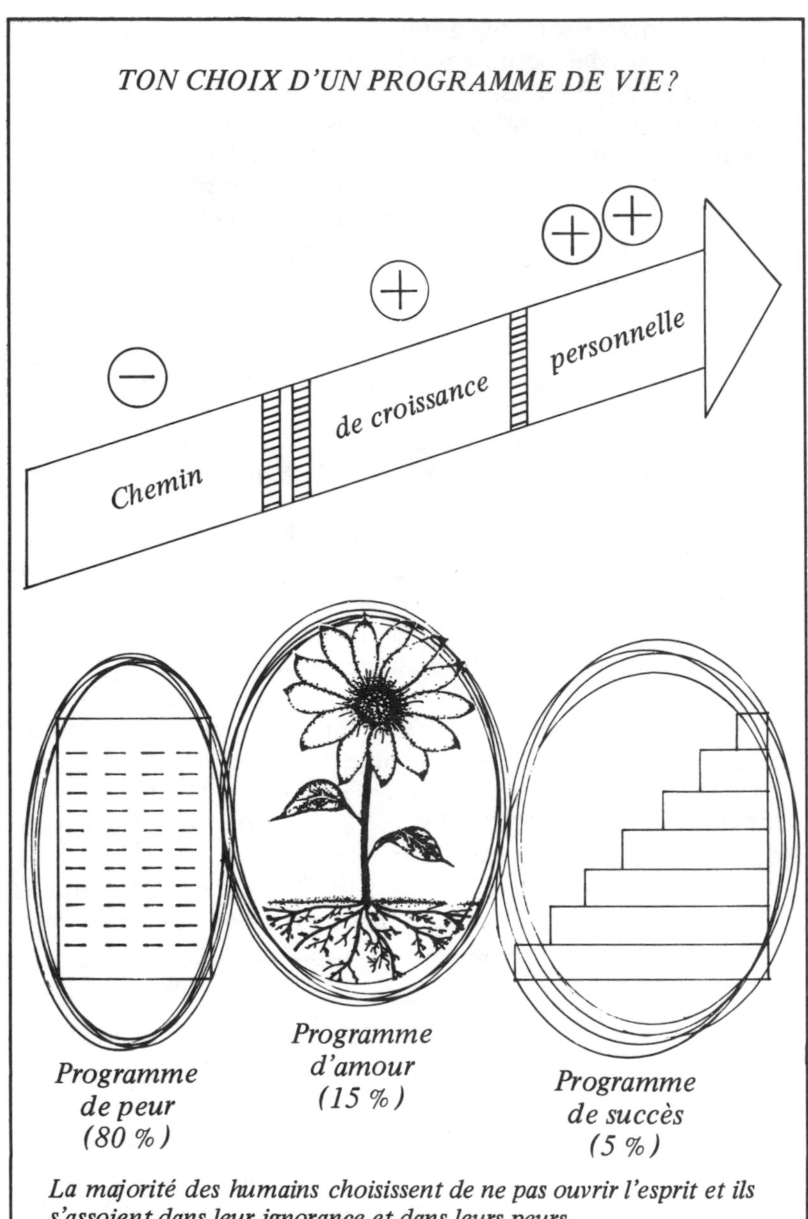

La majorité des humains choisissent de ne pas ouvrir l'esprit et ils s'assoient dans leur ignorance et dans leurs peurs . . .

La vie est une lutte . . . un combat . . . La vie est une purification spirituelle. Nous devons lutter assez longtemps pour nous libérer finalement de nos attachements à des idées, à des concepts, à des émotions négatives, à des choses, à des humains . . .

C'est pour cela que, tout comme le succès, le bonheur est une revanche. Lorsqu'un humain se débat pour quelque chose de valable, comme la paix, la liberté, la prospérité ou tout autre projet, il est heureux, satisfait et énergisé.

Il suffit de voir le magnifique corail face à la mer houleuse de l'océan Pacifique pour comprendre que l'humain se développe vraiment dans l'adversité et non dans le confort moelleux.

Mais plus on retient, plus on est esclave et souffrant. Par contre, plus on lâche prise, en acceptant l'inévitable et en attirant le souhaitable, plus on se libère . . .

PONTS DE CROISSANCE . . .

Il y a des temps dans la vie de chaque humain
où l'on se sent blessé ou seul . . .

Mais je crois que c'est lorsque l'on se sent perdu
et que tout semble tomber en pièces
ou en ruines autour de soi que l'on grandit.
Je crois que ces temps sont vraiment
des ponts vers une plus grande croissance.

Nous luttons, nous nous débattons,
pour une sécurité,
en essayant d'empêcher le changement,
en essayant de retenir le moment présent.

Mais, malgré nous,
le changement a lieu et on en
ressort de l'autre côté
avec une connaissance approfondie,
une nouvelle lucidité, une nouvelle force.

C'est comme si l'on devait souffrir
et se débattre
afin de grandir et d'arriver
vers de nouveaux sommets.

Sue Mitchell
(Traduction de BPL)

LA VIE EST UN LABYRINTHE

En quête de mon identité, je me vois un peu comme dans un labyrinthe, errant de gauche à droite, cherchant une issue ou une porte de sortie. Les murs sont faits de plexiglass ou de plastique partiellement transparent, de sorte que je peux voir et réagir avec l'extérieur, mais je n'ai pas l'impression d'être vraiment là.

Le plastique n'est pas transparent . . . j'ai présenté mon problème visuel à l'optométriste qui m'a prescrit des verres, mais les verres n'ont pas solutionné mon problème ni amélioré ma vision.

Pour moi, à 40 ans, le plastique commence maintenant à s'éclaircir et je me rends compte que je commence à trouver une issue ou une porte de sortie. Enfin, je commence à avoir une vision plus juste. Je reconnais le monde extérieur et j'aime davantage les choses que je vois. Je vois le mal et le négatif mieux qu'autrefois, et je les accepte avec tout ce qui est bien.

« La lumière que tu cherches, elle est en dedans . . . La lumière, c'est la Vie, c'est l'Amour, c'est toi. Trouve-la, nourris-la, partage-la. »[1]

Si chacun était à l'écoute de ses sentiments les plus profonds ou de cette voix intérieure, il découvrirait son bon chemin. *Chacun est un expert, le seul véritable et meilleur médecin, consultant ou gourou pour lui-même.* En se servant de ce sentiment ou de son intuition ou de sa voix intérieure, comme guide vers la réalisation de son potentiel, non seulement obtient-on beaucoup de satisfaction et de bonheur dans la vie, mais la vie devient-elle excitante et le monde extérieur fait-il beaucoup plus de sens parce qu'il est en harmonie et non en contradiction avec le monde intérieur.

J'ai toujours *le choix de vivre en conflit avec moi-même et les autres ou en harmonie (en paix) avec moi-même et les autres.*

Je dois trouver le sens, la raison d'être de ma vie, consulter mon guide intérieur et lui faire confiance, me laisser guider par lui, mais jamais de l'extérieur.

1. David Viscott, m.d., Le langage des sentiments.

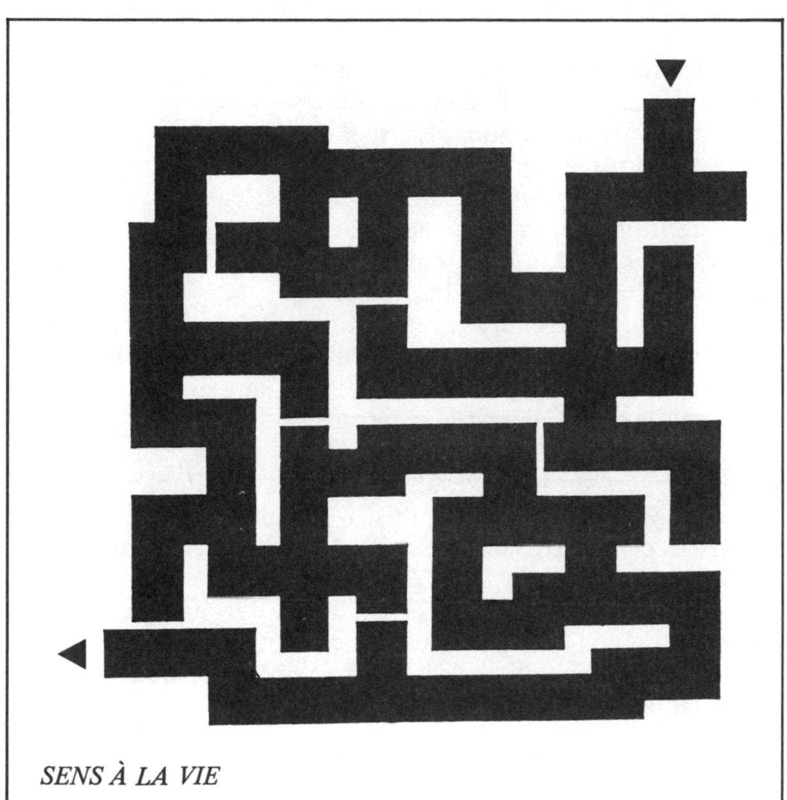

SENS À LA VIE

LE MONDE EXTÉRIEUR EST MON MIROIR . . .

Quand je rencontre mon miroir dans ce grand monde, souvent je n'aime pas l'image qu'il me renvoie.

Une personne aimable vit dans un monde aimable et elle est entourée de gens aimables, tandis qu'une personne négative ou hostile vit dans un monde semblable au sien.

Je dois apprendre à reconnaître et à apprécier cette loi universelle d'affinité dont parle Claude Bristol dans son livre **TNT, The Power Within You.**

Je dois apprendre à reconnaître et à apprécier le pouvoir de mon subconscient. Je dois apprendre à exploiter cette richesse, cette force à l'intérieur de moi, laquelle est une source d'abondance et d'énergie créatrice.

Si ce subconscient est infiltré de messages négatifs, il va attirer vers moi des résultats négatifs inévitablement. Par contre, s'il est programmé positivement ou rempli d'idées positives, cet esprit subconscient va attirer vers moi tout ce que je désire et tout ce dont j'ai besoin.

Ce subconscient est à l'intérieur de chacun de nous, dans toutes nos cellules. Il est magnétique, à notre avantage ou à notre désavantage, selon le choix et la qualité de sa programmation.

LA VIE EST UN PROCESSUS DE CROISSANCE PERSONNELLE . . .

La vie est un passage, un voyage, un processus de maturation, de purification spirituelle. La vie est une série d'étapes ou de passages de croissance ou un processus de développement, surtout spirituel.

Dans son livre **Le passage de la vie**, Gail Sheely nous invite à réfléchir sur le sens de la vie et sur le dépassement de soi, un peu selon le thème de Viktor Frankl dans **Le sens de la vie.**

Également, Shakespeare a très bien décrit les sept âges de la vie dans une de ses pièces, **Comme il vous plaira.**

Dans son livre **Les cycles de la vie**, Eric Erikson nous décrit les huit phases de croissance par lesquelles l'adulte se développe, chaque période étant caractérisée par une tâche spécifique à accomplir.

S'arrêter régulièrement, tous les jours, faire le bilan à la fin de chaque journée, c'est essentiel, car c'est apprécier cette réalité intérieure que nous sommes d'abord des êtres spirituels en croissance. Si on ne le fait pas régulièrement, à 20 ans, tôt ou tard, à 40 ans peut-être, il nous faudra prendre conscience du fait que nous sommes des êtres mortels, que nous allons mourir, ou plutôt changer d'adresse et de costume . . .

Entre 35 et 45 ans, nous nous heurtons à la réalité de notre mort. Nous en sommes terrifiés, mais c'est avec elle qu'il nous faut apprendre à vivre.

La mort a de grandes leçons à nous donner, entre autres celle de lâcher prise. Si on ne l'apprend pas à 15 ans, à 25 ans ou à 45 ans, un jour ou l'autre, même si ce n'est que 15 minutes avant de mourir, on doit apprendre à lâcher prise, à laisser aller.

Laisser aller est au coeur du changement, de toute croissance intellectuelle, émotionnelle et spirituelle, et du développement de notre potentiel humain. Tout dans la nature coule et change. Dans sa grande sagesse, mon grand-père Therrien se plaisait à répéter: «Il ne faut pas empêcher l'eau de couler sous les ponts.»

Il n'est pas possible de vivre toute une vie sans se poser des questions sur le sens de sa vie. Quelle est la nouvelle tâche à accomplir ou la nouvelle leçon à tirer après sa jeunesse?

Y a-t-il une vérité cachée derrière la sagesse populaire voulant que nous nous sentions mal dans notre peau et que nous nous remettions en question tous les cinq ou sept ans?

Nous assumer nous-mêmes, nous dépasser, réaliser notre potentiel par l'amour, voilà ce qui fait peur. Se tenir debout, seul, en équilibre sur nos deux jambes, sans support extérieur, au début ça fait peur!

Plutôt que de faire face à nos peurs, on se distrait, on s'évade dans l'agitation, le travail, les courses, la télévision, les amis, etc. «Tous les moyens sont bons.»

Aussi peut-on s'évader par la douzaine de mécanismes de l'esprit, telles les mille et une excuses, les rationalisations (les *oui mais* ou *c'est parce que . . .*).

Plus on s'évade hors de son milieu intérieur, de sa seule réalité, plus on risque de se perdre et plus long est le chemin du retour vers soi-même, vers son milieu intérieur, vers sa propre réalité.

Vraiment, l'essentiel est à l'intérieur de soi . . . Il faut cesser de regarder à l'extérieur. Il faut vivre en profondeur, moins en superficialité.

En octobre 1983, à Genève, j'ai rencontré un jeune homme du nom de Saïd. Il avait 21 ans et j'en avais 42. Il aurait pu être mon fils, mais je l'ai traité comme un ami. J'étais attiré par la bonté qui se dégageait autour de lui et par son regard franc. Nous étions affamés et nous avons marché vers un restaurant voisin où nous avons passé trois heures agréables ensemble.

Je me suis vite rendu compte qu'il cachait de nombreuses peurs en dedans de lui. De plus, il était sans le sou, ayant quitté sa famille et son pays pour aller vivre avec un cousin en Suisse. Il était avide d'aventures et assoiffé de liberté.

Il avait une personnalité engageante et possédait l'essentiel pour être un gagnant. Je l'ai encouragé à devenir une meilleure personne, à développer et à appliquer des techniques de succès qui lui permettraient de meilleurs résultats, incluant une certaine sécurité matérielle.

Puisqu'il se dégageait beaucoup d'amour et de chaleur de sa personnalité, je l'ai encouragé à devenir un bon vendeur. Je lui ai enseigné l'art de vendre. Ainsi, il pourrait se diriger vers le succès et gagner sa vie sans attendre de pouvoir aller étudier davantage. Il irait à l'université de la vie.

Puisque je partais pour Strasbourg le lendemain, je lui ai donné mes deux cents derniers francs en lui souhaitant bonne chance.

J'espère le revoir un jour. Entre temps, je vais continuer à montrer à de nombreux autres Jonathan à devenir des personnes à succès et à être heureux en suivant le chemin de l'amour.

Trop d'humains vivent des petites vies désespérantes, ennuyantes, fatigantes, sans but ni sens. Trop d'humains vivent leur petite vie plutôt que toute leur vie, une vie au bout de soi, sans limite, une vraie lutte et non une routine de la vie, une « chienne » de vie.

Trop de gens gardent leur esprit fermé au changement, leur tasse pleine, ou l'esprit dans le ciment, pour ne pas dire les pieds dans le ciment. Ils ne sont pas assez réceptifs à des idées nouvelles. Trop de gens ont peur du changement. Trop de gens vivent dans la peur plutôt que dans l'amour . . .

Pourtant, en refusant le changement, ils se préparent un choc futur, un réveil brutal, tel un bon coup de poing entre les deux yeux . . . ou un coup de pied ailleurs . . .

Il faut se réveiller avant qu'il ne soit trop tard . . . Réveille . . . Sors de ta torpeur ou de ta drogue télévisée . . . Va vivre ta vie pleinement, pas seulement des petits bouts . . . pas seulemcnt dans ta tête . . .

POURQUOI? POURQUOI? POURQUOI?

Pourquoi est-ce que j'insiste pour avoir raison (vivre en conflit) plutôt que d'être heureux (vivre en paix)?

Pourquoi est-ce que j'insiste pour vivre avec autant de peurs plutôt que de laisser aller mes peurs et commencer à m'aimer vraiment, sans excuses, sans culpabilité, sans attachement ni attente envers les autres?

Pourquoi est-ce que j'insiste pour grimper une pente ou obtenir du succès dans ma vie en appliquant les freins?

Pourquoi est-ce que j'ai peur de laisser aller les freins de la rationalité et de la raison afin de devenir plus humain, plus près de mes sentiments, de mes émotions et de mes larmes?

Pourquoi est-ce que je choisis de garder une programmation négative de mon esprit conscient et subconscient, plutôt que de laisser aller ces notions et ces concepts qui n'ont plus de valeur ni de sens pour moi?

Pourquoi est-ce que je choisis l'esclavage au lieu de la liberté, le conflit au lieu de la paix?

POURQUOI TANT DE POLLUTION
DANS MA VIE ?

Pourquoi y a-t-il tant de noirceur, tant de brouillard dans mon cerveau et dans ma vie?

POURQUOI? POURQUOI? POURQUOI?

Pourquoi le monde est sans amour?

Pourquoi le monde est-il si froid?

Pourquoi y a-t-il tant de violence, de disputes, de luttes, de conflits dans les familles, les sociétés et les nations?

Pourquoi, pendant l'hiver, les oiseaux meurent-ils?

Pourquoi tant de gens vivent-ils des vies inutiles ou désespérantes?

Pourquoi des gens riches de ressources matérielles ou des jeunes remplis de potentiel se suicident-ils systématiquement ou se laissent-ils mourir?

TA RÉPONSE

Qu'attends-tu pour donner ta réponse?

Le monde a besoin de toi. Le monde t'attend. Rappelle-toi, ce que tu es, c'est ton cadeau de Dieu . . . ce que tu deviens, c'est ton cadeau à Dieu, au monde et à toi-même . . .

Qu'attends-tu pour donner ta réponse? Qu'attends-tu pour apprendre à *t'aimer sans condition, sans excuse* pour ensuite aimer les autres sans attachement? Qu'attends-tu?

Le monde t'attend, le monde a soif d'amour et a besoin de toi. N'essaie pas de révolutionner le monde, de le changer! Change-toi! Va faire le ménage dans ta propre chambre, dans ton coeur, dans ton esprit!

Augmente ta capacité de t'aimer toi-même et ensuite, tu auras une plus grande facilité à aimer les autres. Laisse tomber tes *pourquoi*, ton attitude à vouloir expliquer et analyser tout, à juger, à tout rationaliser, à avoir toujours raison. Apprends à vivre davantage avec ton coeur et moins avec ta tête.

Ainsi, tu pourras mieux aider tes frères de l'humanité, en commençant par ceux qui sont autour de toi.

À toi Jonathan, au Jonathan qui est au plus profond de chacun de nous, qui aspire à se développer et à se dépasser, salut!

À toi Jonathan, qui es peut-être amorti mais qui n'es pas encore mort, je dis: Réveille-toi et viens, lève-toi et marche.

Viens, suis-moi, viens explorer la forêt de ton subconscient. Viens, n'aie pas peur! Laisse-toi aller, fais confiance. Fais confiance à la vie qui est en dedans de toi.

Tu as peur de changer, je te comprends, et comment?

Tu as peur de tout: peur de vivre, peur d'avoir peur. Je trouve cela bien triste pour toi.

Tu as peur de mourir, peur de souffrir. Je suis avec toi. Tu as peur de laisser aller un ami ou une amie, Sylvie ou Blandine, Jacques ou Monique. Je te comprends, mais ne t'empêche pas de grandir en allant vers d'autres humains encore plus riches.

Tu vis les mains fermées, l'esprit rigide et le corps raide plutôt que les mains ouvertes.

Si tu te sens coupable, tu as une peur morale, la peur d'être condamné par Dieu ou par les hommes.

Si tu as peur de ce que les autres vont dire, si tu préfères vivre de peur plutôt que d'amour, alors continue à te tenir raide, à marcher la tête haute, le nez en l'air, les genoux barrés, les fesses serrées, à avoir toutes sortes de tensions musculaires, de maux de tête. Tous ces problèmes sont le résultat de tes attitudes négatives.

Si tu as peur de te montrer tel que tu es, alors sois gêné, sois fier ou orgueilleux, gonfle-toi l'estomac ou la poitrine, joue des rôles, porte des masques, mais sache qu'au fond de toi, tu ne te sentiras pas très à l'aise car tu triches avec toi-même.

Si tu aspires au succès, au bonheur, à la paix avec toi-même, alors ce livre sera, pour toi, un guide vers une maturité émotive, une carte de route de croissance.

N'aie pas peur . . . Fais confiance . . . Écoute . . . Vois . . . Ressens . . . Sois . . . Aime, car tu es l'Amour. C'est ton essence et ton unique mission. Manifeste l'amour, car c'est ce que tu es . . .

Celui qui doit éclairer et réchauffer les humains autour de lui, c'est toi, nul autre. Si tu es rempli d'amour et que tu le partages avec les autres, tu es un guérisseur et tu attires beaucoup de gens autour de toi . . . Et le monde tremble moins, a moins froid parce que tu es là, rayonnant d'énergie, d'amour.

L'importance du moment présent . . .
La saison est courte . . . Sème dès maintenant!
La semence d'aujourd'hui est le précurseur des fleurs de demain!

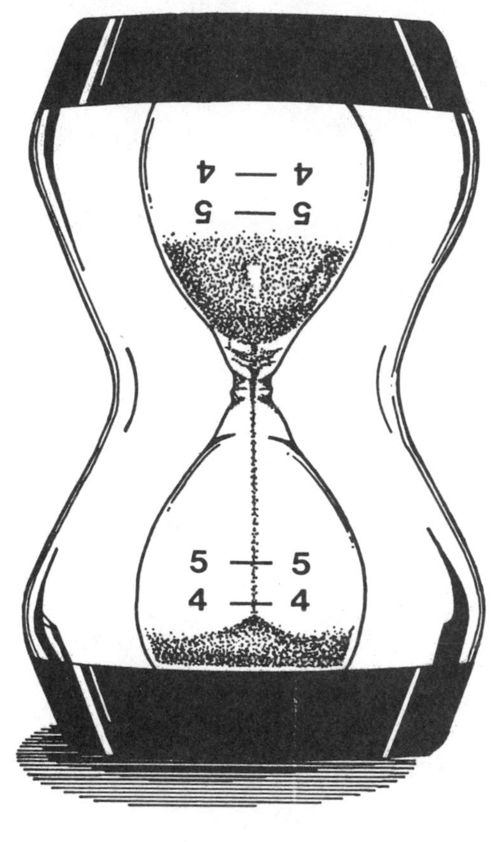

ÉNERGIE, PENSÉE ET POTENTIEL HUMAIN

Tout dans l'univers est de l'énergie . . . La différence entre une couleur et un son, entre un rayon cosmique et un signal de télévision, entre une idée positive et négative, entre le corps physique et les corps subtils, réside dans la fréquence, l'amplitude et la densité.

Toute matière, animée ou inanimée, constitue de l'énergie . . . C'est la leçon d'Einstein, que toute masse peut être convertie en énergie ($E = MC_2$) et que l'énergie dans la matière peut être convertie sous une autre forme. Au fond, il n'y a rien qui ne soit de l'énergie.

L'énergie est présente partout et nous sommes une infime portion de l'énergie universelle. L'arrangement des particules dans les atomes de toutes nos cellules est un miroir parfait ou le reflet de l'arrangement interplanétaire du grand Univers.

Le monde est notre kaléidoscope, notre miroir. Aussi sommes-nous le miroir, en petit, de l'Énergie universelle, que l'on peut appeler Dieu, Pouvoir universel, Intelligence infinie, Amour ou Univers.

Il suffit de regarder les aurores boréales dans le ciel, surtout à la mi-été, pour constater combien l'univers est rempli de vibrations et d'énergies.

Les étoiles sont autant de soleils ou de symboles vibrants de l'abondance, sans limite, de ces énergies et de ces vibrations qu'est l'univers. Nous vivons dans un monde de vibrations, ou d'énergies, dont une partie constitue le spectre électromagnétique. Tout dans l'univers est vibrations ou énergies.

Nous avons un corps énergétique ou plusieurs couches d'énergie, ressemblant à un champ magnétique qui nous suit partout comme un double, une ombre.

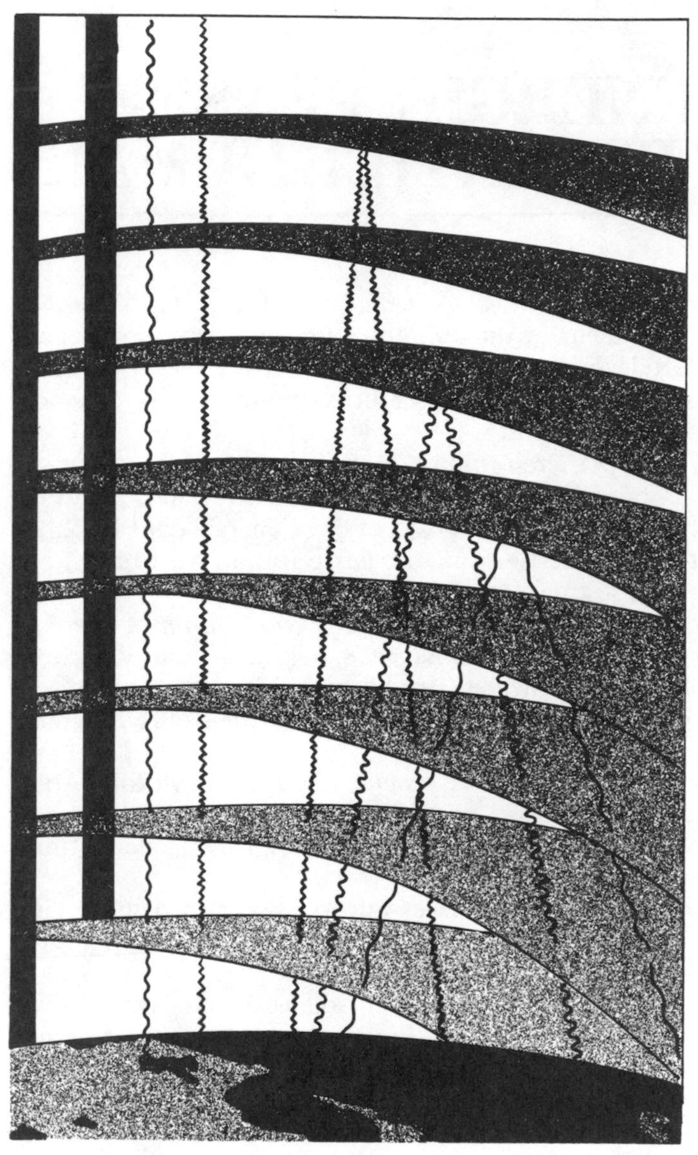

Un monde d'énergies . . . de vibrations . . .

Les perceptions sensorielles et extra-sensorielles

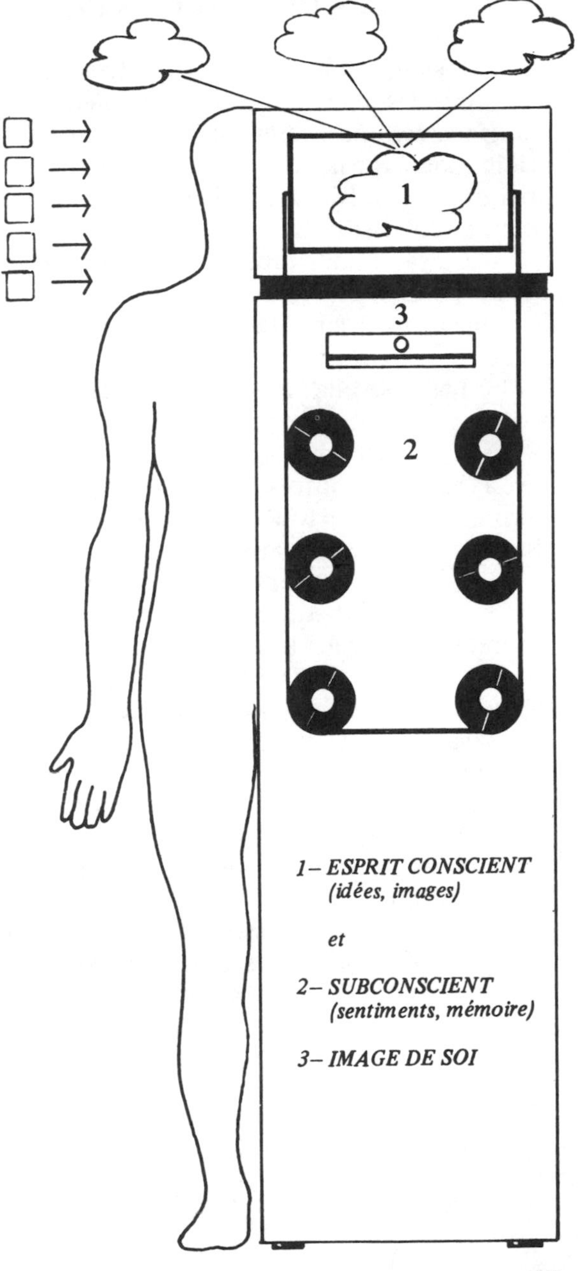

LES IDÉES, LA PENSÉE ET L'IMAGINATION CRÉATRICE

L'esprit humain pense en termes d'images ou d'idées qui sont des vibrations ou des énergies. Ces énergies sont transformées ou projetées sur l'écran de notre esprit conscient sous forme d'images, de façon très semblables aux énergies ou pulsions électriques qui créent l'image sur un écran de télévision.

Certains individus ont une grande capacité psychique ou de perception extra-sensorielle. D'autres, tels les artistes, les musiciens, les poètes et de nombreux inventeurs et hommes de science font preuve d'un grand talent créateur, inventif.

Les nouvelles idées, intuitions ou sensations extra-sensorielles, se présentent sous forme d'idées ou énergies provenant de l'Intelligence infinie, ou de l'Univers, aussi bien que de la banque d'information qu'est notre subconscient. Ce dernier enregistre tout depuis notre conception, même lors du sommeil ou d'une anesthésie générale.

Ces idées peuvent être combinées, comparées à d'autres provenant du subconscient, souvent pour créer une nouvelle entité, une nouvelle image.

Deux ou trois idées reliées entre elles peuvent être agencées pour créer une nouvelle entité, une nouvelle idée. C'est ça l'invention. Ces idées nouvelles, ou ces intuitions, sont la preuve tangible du pouvoir créateur ou de l'imagination créatrice de l'esprit humain.

Notre esprit subconscient a une mémoire parfaite. C'est le rappel ou le souvenir qui est parfois difficile. On peut entraîner notre esprit à développer cette capacité de se rappeler, en se servant d'associations ridicules ou d'images drôles. Nous pensons en termes d'images. Nous nous rappelons plus facilement toutes choses lorsqu'elles sont visualisées clairement.

NOTRE ÉQUIPEMENT MENTAL

Nous avons un esprit, ou corps subtil mental, dont une partie est consciente et l'autre plus profonde, dit esprit subconscient.

Aussi avons-nous un esprit qui peut être comparé à un ordinateur superbe, dépassant les capacités totales d'un gratte-ciel de 50 étages qui serait rempli d'ordinateurs.

Nous avons la capacité de visualiser, d'imager ou d'imaginer, de juger (rejeter) et de croire (accepter) des idées nouvelles. Dans la mesure où nous acceptons ou rejetons les idées nouvelles, nous sommes croyants ou méfiants, forts ou faibles mentalement.

L'image de soi est la résultante des idées ou images créées par soi et reçues des autres. *Nous créons toute notre réalité, selon notre image ainsi créée.* Ainsi, nous ne sommes pas nos pensées mais le *résultat* de celles-ci (c'est-à-dire, les nôtres, les nouvelles et celles que nous avons acceptées des autres).

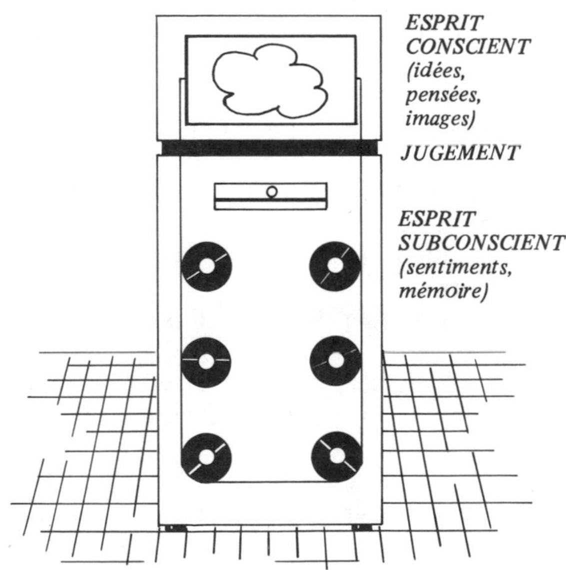

Les idées ou les pensées sont vraiment un peu comme les nuages dans le ciel. Elles sont omniprésentes et peuvent être perçues partout, par tout le monde. Celles-ci sont très nombreuses et différentes. Elles apparaissent sur l'écran de notre esprit conscient, de façon régulière ou fréquente, pourvu qu'il n'y ait pas trop de suie, de fumée ou de brouillard dans notre vie.

Il y a une partie consciente ou intellectuelle de notre esprit et une autre, plus profonde, au niveau des sentiments, une mémoire que l'on appelle subconscient.

Cet esprit conscient et subconscient (corps subtil mental) est présent dans toutes nos cellules, et non seulement au niveau de notre cerveau.

L'esprit humain a de nombreuses facultés ou capacités:

1– perception extra-sensorielle (intuition, poste récepteur ou capacité de percevoir des énergies provenant de l'Univers et de l'environnement immédiat);
2– intelligence (le raisonnement, la compréhension ou la capacité de comprendre);
3– imagination créatrice (pouvoir créateur, capacité de combiner, d'arranger ou de créer de nouvelles idées ou images);
4– jugement (raisonnement, capacité d'analyser, de critiquer ou de condamner);
5– volonté (capacité de persister et de se diriger dans une direction donnée);
6– sentiment (capacité de ressentir des vibrations internes);
7– mémoire (capacité de retenir ou de se rappeler).

Toutes ces facultés peuvent être développées par un entraînement assidu. Certains individus semblent mieux doués pour certaines facultés.

L'esprit subconscient est un champ de conscience ou de vibrations électromagnétiques. Le subconscient n'a pas la capacité de rejeter les vibrations ou les impressions qu'il reçoit ou qui lui sont données. Par contre, il fait partie du poste émetteur ou de la capacité de l'esprit humain de projeter ou d'attirer des énergies vers l'environnement, les autres humains et l'Univers.

L'esprit subconscient est un peu comme le sol. *Il ne peut rejeter la semence.* Il va faire pousser n'importe quelle sorte de semence. Aussi va-t-il faire pousser tout aussi bien le blé (nourriture) que le haschisch (poison).

Une idée mise dans le sol de notre subconscient et nourrie pour une période de vingt à trente jours par la répétition et la visualisation répétée va grandir et porter fruit tôt ou tard. Il n'y a aucun doute là-dessus. *C'est le principe même de l'autohypnose ou de l'autosuggestion, et de toute guérison psychologique.*

Une fois que le juge, ou faculté de jugement, est en repos, l'esprit subconscient accepte facilement toutes les idées provenant de l'environnement, pourvu que l'esprit conscient n'ait pas exercé son autorité, ou son droit de veto (pouvoir de rejet ou de jugement d'une idée).

Ces énergies venant des sens et de l'Univers, en passant par le poste récepteur, seront perçues et ressenties comme sentiments ou vibrations internes. Ces énergies seront considérées comme plaisantes ou déplaisantes, positives ou négatives.

Ces énergies s'accumuleront en émotions et chargeront notre corps subtil astral. L'esprit subconscient est le foyer de tous nos automatismes et de toutes nos habitudes.

Si ces énergies ne sont pas exprimées en action, hors du système, elles sont accumulées dans l'organisme, dans un système ou l'autre. Aussi devront-elles, tôt ou tard, être exprimées en désordres pyschosomatiques, affectant un système ou l'autre, souvent suivant un modèle familial ou une prédisposition génétique.

Ces énergies sont souvent accumulées dans les muscles sous la forme de spasmes, de fatigues ou de céphalées de tension.

On doit apprendre à laisser aller ces énergies régulièrement, par des exercices, du sport, de la marche, des massages et d'autres formes de détente. Ainsi, l'esprit ne peut pas se relâcher lorsque le corps est surchargé de ces énergies qui se sont accumulées dans nos tissus, en particulier dans nos muscles.

C'est là le bienfait des exercices de détente, la véritable réponse à notre question. Il faut apprendre à laisser aller régulièrement, à se détendre.

Il faut maintenir une unité et un équilibre entre notre capacité de penser et celle de ressentir, entre l'intellect et l'émotivité, entre l'esprit, ou corps mental, et le corps physique.

Un sain équilibre entre l'esprit et le corps est essentiel au bonheur, à la santé, au succès.

ÉNERGIE UNIVERSELLE ET PENSÉE UNIVERSELLE

L'énergie de l'Univers passe à travers moi vers les autres.

Cette énergie universelle *est perçue par mes sens* et aussi *par mon esprit* (tel un poste récepteur) sous la forme d'impressions sensorielles et extra-sensorielles, de vibrations, d'idées ou d'intuitions.

Toutes ces énergies apparaissent sur l'écran de mon esprit conscient sous la forme d'images, un peu comme sur un écran de télévision.

Nombreux sont les individus qui ont des capacités de perception extra-sensorielle bien développées, qui décrivent des images apparaissant sur un écran, celui de leur esprit conscient.

Ils voient, très clairement, le visage des gens, des chiffres, des situations ou des objets. On dit qu'ils sont «psychiques». Certains le sont plus que d'autres. Nous avons tous ce poste récepteur.

Par contre, beaucoup d'entre nous consomment trop d'alcool et de fumée dans leur système pour avoir des images claires. Il y a un peu trop de suie ou de dépôts sur nos antennes.

Pourtant, cette grande habileté psychique, cette capacité de percevoir par intuition ou de façon extra-sensorielle,

Les pensées ou idées sont présentes partout. Les mêmes pensées peuvent être présentes dans l'esprit de beaucoup de personnes à travers le monde en même temps.

Les idées sont considérées positives ou négatives, selon la somme d'énergie qu'elles transportent.

Notre esprit conscient et subconscient a la capacité de « télépathiser » des idées ou des énergies à n'importe qui, n'importe où dans le monde, n'importe quand . . . L'esprit humain a un pouvoir de télépathie.

Si tu as peur de cette idée, alors ferme ce livre pour un moment . . .

DÉVELOPPEMENT ÉMOTIF ET DÉVELOPPEMENT INTELLECTUEL

Le développement du Moi ou de l'image de soi est étroitement lié à celui de l'esprit mental. Pour développer une bonne image de soi, il faut d'abord avoir des idées positives et l'esprit bien ouvert.

L'image de soi se développe grâce à des expériences vécues ou des messages reçus. *Ces expériences ou ces messages ne nous ont pas faits tels que nous sommes mais nous ont fait croire ou ont créé des images en nous de ce que nous sommes. À la suite de ces images ou de ces croyances au sujet de soi-même, nous sommes devenus ce que nous sommes. C'est la loi du mental.* Maintenant, il s'agit de les regarder, de les ajuster ou de les remplacer par d'autres, plus positives.

C'est entre nos mains . . . On peut remplacer la disquette ou améliorer l'image de soi à notre goût. Oui, c'est un choix . . .

On développe une image plus positive de soi en se visualisant comme une personne aimable et gagnante pendant quelques minutes au moins, deux ou trois fois par jour. On se met des rappels dans le miroir, sur le réfrigérateur, dans notre porte-monnaie, dans nos bas, etc. On se répète des affirmations positives, plusieurs fois par jour. Petit à petit, on se voit et on se croit gagnant. On devient un croyant en soi, sûr de soi. On s'est vendu des idées (ou images) positives. C'est le pouvoir merveilleux de l'autosuggestion ou de l'autohypnose.

Petit à petit, l'oiseau fait son nid, et l'homme fait son image selon son bon désir . . . et, par là, toutes les réalités de sa vie . . .

ATTITUDES, HABITUDES ET CIRCONSTANCES

Il y a près de deux mille ans, Marc Aurèle, empereur romain, disait: « *Votre vie est ce que vos pensées en font.* » Plus tard, un psychologue de l'université Harvard, William James, confirmait cette vérité. « Les humains, en changeant l'aspect intérieur de leur esprit, peuvent transformer les aspects extérieurs de leur vie. » « *La plus grande révolution de notre génération a été de découvrir que les humains, en changeant leur façon de penser, peuvent changer leur façon de vivre ou leur style de vie.* »

En d'autres mots, en reprogrammant leur esprit subconscient ou en développant de nouvelles habitudes de pensées ou de croyances, les humains peuvent changer leurs vies.

La capacité des humains à changer et choisir leurs habitudes fait toute la différence entre les humains et les animaux.

Les animaux ont un instinct ou un ensemble d'habitudes programmées d'avance, ou un comportement automatique provenant de leur subconscient. *Les humains, eux, ont la liberté et, en même temps, la responsabilité de développer leurs habitudes.*

Les attitudes sont des habitudes de penser et de croire. Elles sont un ensemble de jugements ou d'idées et un ensemble de croyances qui favorisent une action ou un comportement. Toutes les attitudes sont programmables à volonté, à répétition.

C'est la tête qui met en branle la queue chez l'animal. C'est notre esprit conscient et subconscient qui doit s'habituer ou développer des habitudes de pensées et de croyances ou des attitudes.

On rapporte qu'environ 98 % des humains se servent d'environ 1 % ou 2 % de leur potentiel, non parce qu'ils n'ont pas la capacité de développer leur potentiel, mais *simplement à cause de leurs attitudes négatives ou de la peur.* Chacun peut décider quelle personne il désire être, quelle sorte de vie il désire mener, en décidant des attitudes qu'il désire développer et posséder.

Tout comme les habitudes d'agir, les attitudes sont des habitudes de penser et de croire qui peuvent être développées par la répétition. Des habitudes de penser positivement, de croire en soi et aux autres ou en Dieu, peuvent être développées tout aussi facilement que des habitudes négatives.

Apprécier le pouvoir ou le potentiel de son esprit mental, c'est la plus grande découverte que l'humain ait pu faire. Ses pensées peuvent créer sa propre réalité. «Ce que l'homme pense dans son coeur, il l'est ou il le deviendra.»[1]

Les idées sont des énergies et des idées négatives attirent des résultats négatifs, tandis que des idées positives attirent des résultats positifs. La seule limitation de l'homme réside dans l'usage négatif de son imagination. Par ses idées négatives l'homme s'imagine l'échec. Alors, il le crée pour lui-même dans son mental.

S'il imagine du succès, il crée ce succès dans son propre esprit mental, d'abord, avant qu'il ne devienne une réalité. «Ce que l'homme pense dans son coeur, dans son esprit, c'est ce qu'il est . . . c'est ce qu'il devient.»[2]

Par son esprit, tout humain crée sa propre réalité matérielle, son confort comme sa pauvreté, ses ennuis comme son bonheur, ses conflits intérieurs et avec les autres tout comme sa sérénité ou sa paix intérieure, ses maladies comme sa santé.

Ah! s'il y avait encore plus de gens capables de reconnaître ce secret si étrange et pourtant si logique! Combien de gens refusent d'ouvrir leur esprit mental à cette loi naturelle de la causalité, de la cause à effet, de la semence et de la récolte, de la loi du mental!

1. et 2. James Allen.

QUELLE HEURE EST-IL DANS TA VIE?

Peut-être est-ce le temps pour toi de te réveiller, de réaliser ton plein potentiel . . . ***Peut-être est-il temps que tu regardes tes attitudes et que tu fasses un nettoyage dans ton esprit conscient et subconscient.***

Si certaines de tes attitudes sont plus négatives que positives, tu as le choix, la capacité de les changer, de reprogrammer ton esprit. ***N'essaie pas de faire fonctionner l'horloge à l'envers.*** *Les idées positives associées à des croyances positives produisent des actions et des résultats positifs.*

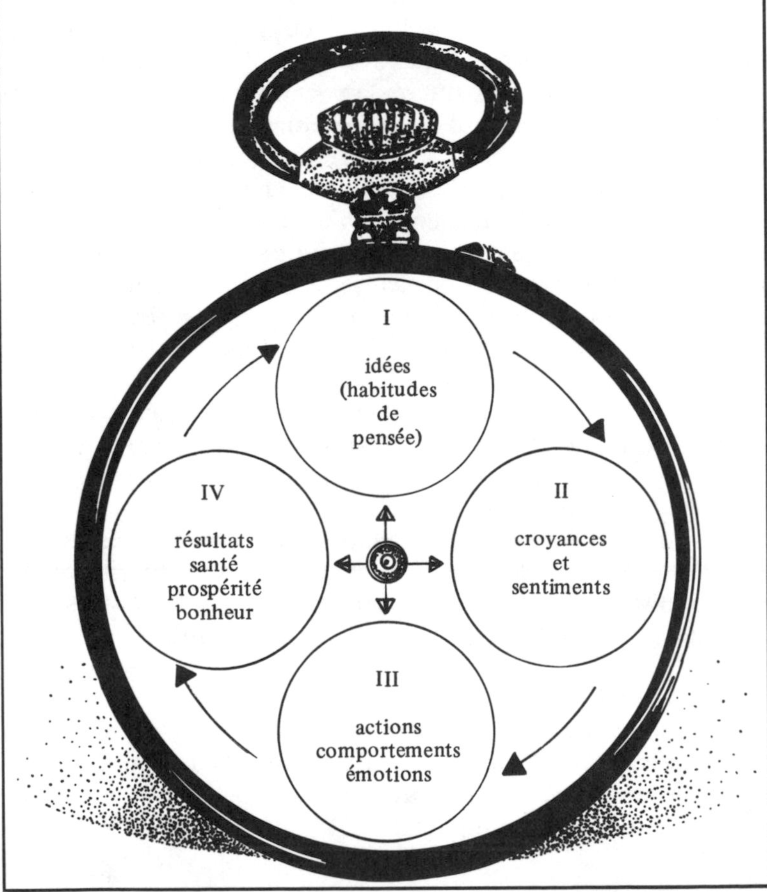

Cette horloge ne va que dans le sens des aiguilles d'une montre. Les idées et les croyances sont la base de nos habitudes de pensées et de nos attitudes. Ces attitudes sont essentiellement pour produire un comportement ou des actions répétées et créer des habitudes d'action.

En retour, ces actions répétées ou ces habitudes vont produire divers résultats en nous, afin d'améliorer notre style de vie et les circonstances positives de notre vie. Ce qu'un homme pense dans son coeur, dans son esprit, tel il est . . . tel il devient . . . Réveille-toi à ton vrai potentiel . . . Réveille-toi à ce secret le plus étrange qui soit, à la loi naturelle du mental, aux lois de la vie . . .

Les idées et les croyances positives, ou l'Amour, mènent le monde, tandis que les idées négatives, les peurs, le manque d'amour paralysent le monde.

Les idées et les croyances doivent être retenues dans notre esprit et dans notre coeur. Elles doivent être visualisées de façon persistante, sur une longue période. Tôt ou tard, ces idées et ces croyances deviennent réalité.

La richesse comme la pauvreté sont des produits de notre esprit mental, et ces idées attirent du semblable. Le succès, la prospérité, la santé, le bonheur, la pauvreté, la misère, la maladie et les dépressions sont tous des conséquences de notre pensée.

Nous créons notre propre réalité ou les circonstances extérieures de notre vie. Nous les attirons. Ainsi, la bonne ou la mauvaise chance sont attirées par notre façon de penser ou de ressentir au fond de nous.

Selon notre façon de penser ou de ressentir en nous, basée sur la peur ou sur l'amour, nous projetons autour de nous des vibrations (des pensées et des émotions) et des actions positives ou négatives influençant les autres de façon positive ou négative.

Par nos propres attitudes, nous attirons et créons les circonstances de notre vie de chaque jour. Nos attitudes sont prophétiques de nos styles de vie. *Par nos attitudes d'aujourd'hui, nous créons nos propres réalités de demain* . . . Il n'y a pas de magie. Ouvrons notre mental à la vérité.

BIOÉNERGIE ET POTENTIEL HUMAIN
LES 7 CENTRES D'ÉNERGIE

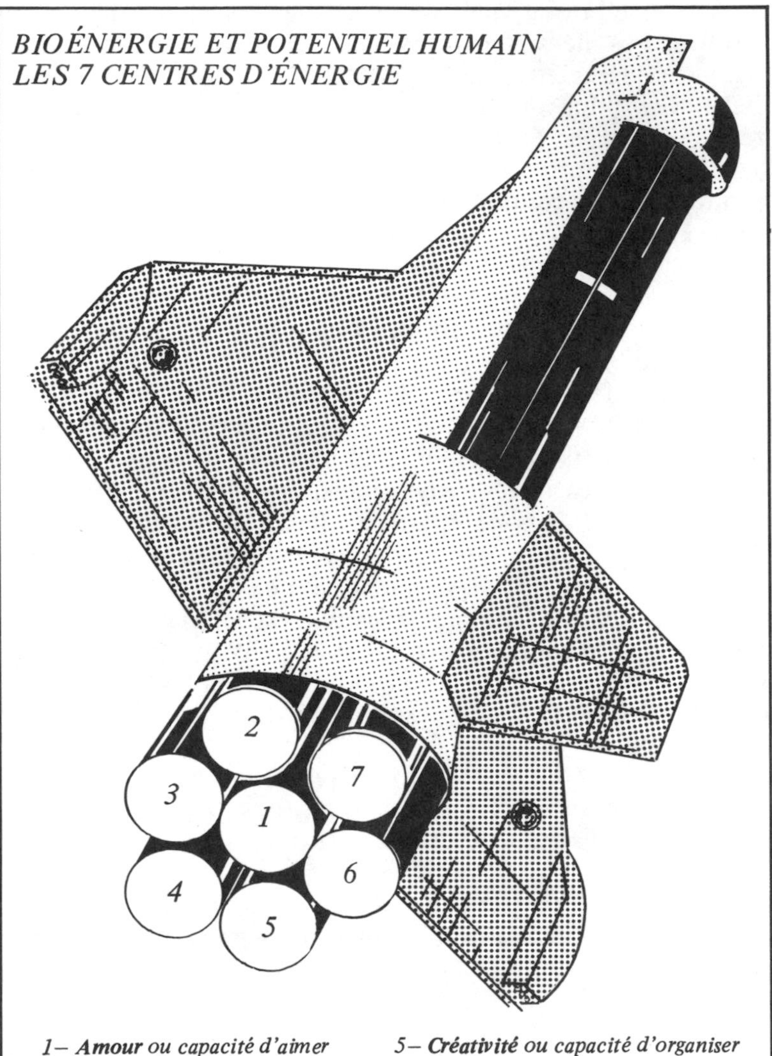

*1– **Amour** ou capacité d'aimer soi-même et les autres*

*2– **Sensualité (sexualité)** ou capacité de jouir, ressentir*

*3– **Lutte, courage** ou capacité de vaincre*

*4– **Intelligence** ou capacité de comprendre, de raisonner*

*5– **Créativité** ou capacité d'organiser et de penser*

*6– **Rêve, vision** ou capacité de visualiser*

*7– **Spiritualité** ou capacité d'approfondir*

BIOÉNERGIE ET POTENTIEL HUMAIN

Le potentiel humain peut être comparé à un iceberg où les 9/10 sont submergés dans l'esprit subconscient. Même invisible et inutilisé. il attend patiemment son développement.

Le potentiel humain est un peu comme une mine d'or qu'on commence à peine à exploiter, souvent à la petite cuillère.

C'est William James qui réclame que 98 % ou 99 % des gens se servent d'environ 1 % ou 1,5 % de leur potentiel, non à cause de leur manque de capacité mais surtout à cause de leurs attitudes négatives, basées sur la peur.

Par exemple, une personne peut courir une distance d'un demi-mille avant de s'éloigner d'un assaillant avant de tomber, complètement épuisé. Cela représente 100 % de sa capacité ou de son habileté actuelle.

Par contre, avec de l'entraînement, ce même individu peut courir 25 milles, ce qui représente 50 fois plus son habileté présente. C'est ainsi que la plupart des humains ne se servent que de deux pour cent de leur potentiel parce qu'ils ne s'entraînent pas à augmenter leurs habiletés et leurs capacités. Ils se bloquent eux-mêmes avec des attitudes négatives.

Les idées positives, incluant l'amour, mènent le monde. Les idées négatives (la peur), paralysent le monde. Si l'on veut que l'humain se développe, il faut qu'il apprenne à développer sa propre dynamo ou sa propre génératrice d'électricité ou d'énergie intérieure. Cette source d'énergie principale, c'est l'amour de soi sans excuse ni culpabilité, ensuite l'amour des autres sans attachement ni attente.

Il y a environ sept sphères d'activités ou capacités que les humains ont avantage à développer s'ils veulent devenir grands et puissants. Les deux principales sont la capacité de penser et d'aimer. Ajoutons aussi la capacité de voir en profondeur (la spiritualité), la capacité de rêver ou de donner un sens à sa vie ou d'avoir de l'ambition, la capacité de créer ou d'organiser, la capacité de lutter ou de foncer ou de persister, la capacité de jouir ou de ressentir. Toutes ces capacités peuvent être développées ou ouvertes à fond, un peu comme des valves.

Le moteur principal ou central est l'Amour. C'est celui qui doit être développé le premier et qui va faciliter le développement des autres capacités. C'est le premier *chakra*, ou centre d'intérêt, à ouvrir.

La véritable animation provient toujours de l'intérieur. Elle est basée sur une image saine de soi, une confiance inébranlable en soi (10/10) et un amour de soi inconditionnel. (BPL)

Avec cette trinité d'amour, l'humain possède vraiment sa propre génératrice d'énergie, sa propre dynamo. C'est un peu comme les trois bûches dans le foyer. Mises ensemble en pointe, elles produisent beaucoup de chaleur.

Lorsque tous ces centres d'énergie sont bien développés, l'humain est un peu comme un enfant rempli de vie, chargé et toujours prêt à partir . . . Aussi, il a un beau rayonnement, un surplus d'énergie. Son corps énergétique est vibrant, magnétique, illuminé.

L'humain n'est pas comme un V-8 (huit cylindres) mais un T-7 avec des centres d'énergie qui sont: la sensualité (sexualité), le courage, l'intellect ou la pensée, l'amour (le coeur), la créativité, le rêve (ambitions, sens à la vie, dépassement) et la spiritualité (profondeur).

La vie est faite pour être célébrée et non endurée. On doit y donner toute notre réponse . . . Il n'est pas vrai que nous sommes nés pour des petits pains . . . Il n'est pas vrai que nous sommes nés pour souffrir . . . Mais nous sommes nés pour apprendre et pour jouer toute notre musique.

Depuis 1973, le succès phénoménal du livre de Richard Bach, **Jonathan le goéland**, et du film enchanteur de Neil Diamond, reflète bien le vif intérêt qu'ont les gens pour ce sujet du potentiel humain. Il y aura toujours des gens à l'esprit fermé ou amorti et peu développé qui s'ennuieront à voir cette histoire de moineaux.

Pourtant, il s'agit d'une histoire de croissance et de développement de la personne, du refus d'un goéland de se voir pris dans des limites ordinaires d'une vie monotone, de routine, de goéland ordinaire. Jonathan voulait être libre, planer, voler le plus haut possible, plus haut qu'aucun autre goéland ne l'avait jamais fait, et devenir excellent. Il voulait vivre pleinement sa vie . . . Il bouillonnait d'énergie . . . Il voulait réaliser tout son potentiel de voler . . .

Il est évident que personne ne veut être ordinaire car chacun, dans son for intérieur, a un goût d'aller plus haut, d'explorer son potentiel, de devenir plus . . . de devenir tout soi-même, à moins d'être amorti, paralysé dans la peur.

Il existe en nous un prince, un ange, un gagnant, un enfant libre qui aspire à se manifester et nous amener à tout Jonathan . . . Devenir tout soi-même . . . C'est la loi de notre être.

Apprendrons-nous à temps à ne pas tricher avec soi? Oserons-nous jouer toute notre musique . . . pas seulement des petits morceaux . . . des petits bouts . . . ?

PROGRAMME DE PEUR

« Le paradoxe, c'est que plus la technologie avance, plus elle affranchit l'homme de la servitude du labeur, moins l'homme gagne en liberté. » (Paul Germain)

« Notre monde est pétri d'angoisses, de peurs . . . Nous sommes une humanité souffrante, très blessée . . . » (Jean Vanier)

« De tous les menteurs de ce monde, nos peurs en sont souvent les pires . . . » (Rudyard Kipling)

Il n'y a que deux peurs qui soient innées ou naturelles: celle de tomber en chute libre et celle des bruits très forts. Toutes les autres sont apprises ou conditionnées par l'expérience provenant de nos sens, par nos expériences passées et par nos programmeurs.

Il y a peut-être une troisième peur qui pourrait être considérée comme presque innée, soit celle de mourir, car les humains sont assez intelligents pour être conscients de leur finalité et de leur monde.

Les animaux n'ont guère de souci. Ils ont plutôt un environnement immédiat; ils ne se préoccupent pas de leur destin et de leur finalité; ils sont incapables de se faire du souci.

Ils sont exempts de cette anxiété ontogénique ou existentielle dont parlent tant les philosophes et les psychologues. Dès que je suis assez intelligent pour apprécier que je suis né et que je vis, je peux ressentir que je peux mourir. J'ai le potentiel de mourir, je peux mourir si je suis laissé seul, abandonné, etc.

Les éducateurs de la société (parents, amis, enseignants, médecins, psychologues, religieux, etc.) viennent ensuite ajouter au programme initial. Consciemment, ou plus souvent par ignorance ou par souci de contrôle et d'exercice du pouvoir, ils sèmeront des idées fausses servant de frein et paralysant l'individu, souvent à son insu, dans sa libre expression et dans le développement de son potentiel.

D'autres peurs seront imaginées, créées de nouveau par l'individu lui-même en se servant du substrat ou des impressions négatives plantées dans le subconscient. On crée ses propres peurs. L'humain est assez intelligent pour s'inventer, se créer des peurs à la tonne. C'est dans ce sens qu'il est reconnu que 92 % des peurs sont imaginaires, le fruit de notre esprit ou de notre imagination. Vivre avec sa tête au détriment des sentiments, c'est vivre dans la peur, se créer des peurs inutiles et devenir prisonnier de son mental.

Notre esprit conscient est très actif et fertile. *Tel un sol fertile, il fait pousser, multiplier la semence négative ou positive. Il produira au centuple ce qui aura été mis en terre, surtout en profondeur.*

Si de nombreuses peurs ont été implantées dès le jeune âge, dès la naissance ou avant, dans l'esprit conscient et surtout subconscient, l'on ne devra pas s'étonner de la récolte de peurs nouvelles.

On devrait porter attention aux peurs des enfants, car toutes les peurs présentes dans leur esprit sont importantes. Il faudrait les aider à s'en débarrasser le plus tôt possible et non les laisser s'accumuler et se multiplier sans contrôle durant toute une vie, comme le chiendent ou la mauvaise herbe.

Les parents, surtout, devraient être prudents afin de ne pas développer des peurs chez l'enfant, même sous le prétexte de la discipline ou du contrôle. La peur est une mauvaise façon de motiver une personne et de l'entraîner à développer son potentiel.

Les parents doivent devenir des motivateurs par la persuasion et non par la force et la manipulation qui échouent souvent. Un cours de motivation et d'éducation des enfants pourrait être exigé par la société.

La peur est contagieuse et doit être traitée comme une maladie contagieuse, comme le sont les maladies virales ou infectieuses.

Bernard Overstreet, dans son livre **Comprendre la peur**, explique ceci: « La peur n'est pas une affaire en privé. Elle est une maladie sociale ou familiale très contagieuse, et la première contagion se fait des parents à l'enfant.»

Inconsciemment, les parents programment leurs enfants dans la peur. Plus tard, ces enfants devenus grands seront des victimes passives, contrôlées par des peurs au niveau du subconscient (mémoire et siège des habitudes, des messages négatifs et des idées négatives).

Des douzaines de phobies sont présentes chez les enfants ainsi que chez de nombreux adultes. Ces phobies sont la résultante de ces peurs acquises, accumulées et augmentées pendant des années d'expériences négatives.

Les peurs excessives, ou phobies, ont des résultats très néfastes sur l'humain en général, sur sa santé et sur son comportement. Les victimes de phobies ont même quelquefois la peur de vivre ou de sortir de leur logis; elles vivent et meurent des milliers de fois intérieurement. Ceci est le cas de trop nombreuses personnes âgées.

Peu de gens vivent sans développer des phobies. Certains peuvent avoir une peur bleue d'être seuls dans une maison le soir; d'autres, de rencontrer certains animaux; quelques-uns ont peur de l'altitude et des profondeurs; certaines personnes craignent d'être enfermées et, enfin, d'autres ont peur des foules.

On peut essayer de contrôler ses peurs avec la raison et accepter qu'elles sont sans fondement. Cependant, plusieurs ne réussissent pas à établir une bonne maîtrise de leurs peurs. Au lieu d'apprendre à laisser aller ces peurs, ils en sont les victimes paralysées.

La reprogrammation neurolinguistique est efficace pour désensibiliser et reprogrammer ces gens aux prises avec ces peurs excessives ou phobies.

Voici deux exemples de programmation négative.

Il existe un jeu bien innocent que les parents peuvent jouer avec leurs enfants. On prend l'enfant, on le lance au bout de ses bras et on le rattrape en tombant.

Au début, l'enfant a terriblement peur de tomber, mais il apprend vite à supprimer cette peur au niveau du subconscient, à l'avaler, pourrait-on dire, à en rire et même à encourager ses parents à répéter cette expérience négative. Mais, c'est très négatif.

Une autre façon de programmer quelqu'un négativement est celle qui consiste à jouer à la cachette avec l'enfant et de lui faire peur en se servant de bruits très forts qui le surprennent.

Ces jeux, qui apparaissent souvent très divertissants et innocents, engendrent des peurs qui peuvent être supprimées au point de vue conscient, mais qui ont une répercussion dans la programmation négative de l'individu. *Le subconscient enregistre tout, et de façon permanente. Le subconscient est une mémoire parfaite.*

Tout comme en médecine préventive, la meilleure éducation serait celle qui consisterait à donner de la confiance et de l'amour, et non de la peur, à un enfant, à prévenir plutôt qu'à guérir.

Il est essentiel d'éduquer les parents et tous les éducateurs de la société et de les rendre conscients de leur énorme responsabilité à l'égard des générations futures. Ils doivent devenir de plus en plus conscients de tous ces messages négatifs dont ils imprègnent le subconscient des enfants et de leur entourage.

Ils ne peuvent pas ignorer sans impunité leurs responsabilités et fuir devant ces responsabilités. Ils doivent donner à la génération future une meilleure programmation que la leur, un programme plus positif, comportant moins de peurs et beaucoup plus d'amour.

Dans le film **E.T.**, il y a des exemples de la programmation de peur. L'enfant libre n'a pas peur d'aimer. Mais, assez tôt, on le programme dans la peur. On lui dit de se tenir loin des extra-terrestres. «Ça pourrait avoir des rayons ultraviolets», etc.

Tôt ou tard, le petit extra-terrestre ne reçoit pas d'amour et s'assèche. Il en est de même des humains, ces humains qui ont peur de donner de l'affection et d'en recevoir. Ils deviennent froids, rigides, maigres, nerveux, pour ne pas dire desséchés.

L'humain s'épanouit, se développe et est heureux dans l'amour.

La peur est un sentiment (impression négative) et une émotion apprise en grande partie, transmise par les parents et les éducateurs.

Si l'on peut transmettre la peur et conditionner par la peur, pourquoi ne pourrait-on pas montrer l'amour et conditionner les êtres à l'amour?

Il n'est pas plus difficile de montrer à aimer que de montrer à avoir peur. Il s'agit de prendre une décision et de se débarrasser de ses propres peurs d'abord afin de pouvoir aimer mieux et de le montrer aux autres. Il s'agit de nettoyer sa propre cour, d'émonder son propre jardin du chiendent (la peur) afin de pouvoir le montrer aux autres.

Bref, ce qui est malheureux, c'est que les programmeurs eux-mêmes ont été programmés dans la peur et qu'ils vivent, consciemment ou non, ce programme de peur. Ils transmettent plus ou moins fidèlement cette programmation de peur d'une génération à la suivante.

Il est impossible pour les parents d'aider leurs enfants à apprendre à s'aimer s'ils ont toutes sortes de peurs, sous forme d'orgueil, de rigidité, d'obsessions, d'excuses, de rationalisations, de peur de changer, de peur d'être critiqués, de peur d'être différents ou d'être eux-mêmes, etc.

Consciemment ou non, le programmeur va souvent donner des messages négatifs ou des injonctions, tels que:

1– n'existe pas (tu es de trop);
2– ne sois pas toi (ne sois pas différent, fais comme les autres);
3– ne ressens pas (prends garde à tes sentiments);
4– ne sois pas près et ne touche pas (tiens-toi loin de moi);
5– ne pense pas (ne te sers pas de ta tête);
6– ne sois pas un enfant libre;
7– ne sois pas bien;
8– ne grandis pas;
9– ne fais pas confiance (aux étrangers ou au monde);
10– ne réussis pas.

Après avoir reçu ces messages pendant longtemps, à répétition, on finit par être programmé ou conditionné à ne pas aimer, à ne pas penser et à ne pas être joyeux ni heureux.

On a une image mentale assez négative de soi, des autres et du monde. Puisque notre esprit conscient fonctionne sous forme d'images, ces images négatives reviennent fréquemment du profond du subconscient sur l'écran de l'esprit conscient, et les actes suivent les pensées ou les images. On vit paralysé par la peur.

C'est là l'origine d'une frustration profonde, d'une tristesse ou d'un manque de joie dans la vie de nombreux individus. Ils n'ont pas appris à penser, à aimer, à être heureux.

Dans le film **Jonathan le goéland**, il y a de nombreux messages négatifs qui sont donnés à Jonathan, messages qui viennent de la génération précédente:

1– j'ai peur pour toi, Jonathan;
2– peut-être n'est-ce pas le meilleur programme pour toi, mais c'est le meilleur que l'on pouvait te donner;
3– le clan doit demeurer ensemble pour survivre; reste avec nous;
4– tu as des ailes trop courtes, trop courtes pour

voler haut; les goélands ne sont pas faits pour voler aussi haut;

5– Jonathan, tu dois comparaître devant tes frères pour avoir volé en étourdi et pour t'être séparé du groupe;

6– on te chasse pour toujours hors de nos rangs, Jonathan;

7– tu es maudit à tout jamais, Jonathan;

8– c'est mon ciel, ma terre, mon territoire; tiens-toi en dehors de ça;

9– c'est la loi de notre espèce; si tu pars, tu ne reviens plus;

10– ne l'écoutez pas, c'est le diable.

Il n'est pas facile d'explorer et de retrouver tous ces messages négatifs ancrés au fond de notre subconscient.

Que l'on soit conscient ou non, ces messages ont un effet plus ou moins paralysant sur notre comportement présent.

La plupart de ces messages négatifs servent de frein ou sont des sources de peurs qui gênent et empêchent l'épanouissement de la personne en gâchant sa vie et son enthousiasme. Ces messages négatifs bloquent l'expression de cet enfant libre au-dedans de chacun de nous, qui veut respirer à pleins poumons, risquer tout, apprendre tout.

Trop nombreux sont les éducateurs qui ne sont pas très conscients de leurs attitudes négatives et de leurs grandes responsabilités envers les générations futures au niveau du conditionnement ou de la programmation de la société à venir.

Souvent en éducation, on insiste sur le développement du mental, sur la capacité de raisonner, de s'obstiner, d'avoir raison, sur l'accumulation de connaissances et d'habiletés, plutôt que sur le développement d'attitudes, c'est-à-dire une ouverture d'esprit, une grande capacité d'aimer et de créer. On insiste davantage sur ce que l'enfant doit savoir. On oublie que l'enfant a des sentiments et des aspirations.

Nos chefs spirituels, également, mettent souvent l'accent sur le fait de suivre des règles et des commandements, d'avoir raison, plutôt que d'être heureux. Il leur semble plus important de suivre un ensemble de règles extérieures à la personne plutôt que de suivre des signaux internes, tels ses besoins, ses ambitions, ses rêves, son sens à donner à la vie, à son travail et à ses relations personnelles. Cette spiritualité, ou profondeur, sert d'ancrage et de source d'énergie vitale chez tout être humain.

Plusieurs systèmes religieux et religions (au delà de 2 500) ont programmé des individus à avoir peur d'aimer – ou plutôt à avoir raison. Ils ont favorisé une rigidité rationnelle et rationalisante plutôt qu'une souplesse de l'esprit et une richesse du coeur (une grande capacité d'aimer). Que de guerres soi-disant saintes, de croisades, de campagnes contre de soi-disant hérétiques et des sorcières, d'inquisitions! . . . Que de programmations de peurs au lieu d'amour! Que d'intolérance et d'injustice! Que de conflits entre individus et entre peuples . . . même aujourd'hui!

Aussi est-il difficile pour un jeune de 15 ans de reconnaître Dieu comme étant un père aimant de façon gratuite, une personne très aimable, lorsqu'il y a si peu d'amour et tant de règles rigides (commandements, lois, péchés, etc.) dans la programmation religieuse et morale. Il sera plutôt porté à voir Dieu comme un contrôleur universel, un organisateur suprême, un ordinateur infiniment sage, ou même comme un dieu vengeur, un juge.

Par contre, il est difficile d'être un athée sérieux, de nier toute Présence organisatrice dans le monde, puisqu'il y a une harmonie et une organisation dans ce grand Univers. Il faut beaucoup de négativisme et de scepticisme et peu de raison pour croire fermement que tout provient de rien sans Création, même l'énergie pure.

L'athéisme de nos temps est le reflet ou la conséquence d'un esprit scientifique étroit, plutôt négatif, d'une vision de tunnel qui n'accepte rien d'autre que les données sensorielles qu'il peut mesurer et vérifier. Pourtant, il y a d'autres données, perceptions extra-sensorielles, intuitions ou sources d'information difficiles à vérifier et à mesurer. À cause de cette rigidité intellectuelle, on a peur de fusionner, d'allier ou de juxtaposer religion et science, connaissance et expérience sensorielle, avec les perceptions extra-sensorielles.

L'adhésion à un système religieux ou à toute autre organisation remplie de lois et de commandements, est beaucoup moins importante ou essentielle. Pour l'humain, une expérience spirituelle profonde, une expérience d'un Dieu ou d'une Présence spirituelle, d'un Amour, d'une Lumière, de l'Énergie ou d'une Pensée universelle, est beaucoup plus essentielle et importante que de faire la parlotte, du raisonnement, du culte ou du rituel.

On doit vivre une expérience spirituelle de Dieu plutôt que d'obtenir un succédané de Dieu, un *Dieu de seconde main.* Il y a, chez tout humain, un goût pour le spirituel, et on ne doit pas le diminuer ou le diluer en passant par une deuxième ou une troisième main.

Très souvent, on conçoit la religion comme étant une forme de croyances et de règles enseignées par des gens qui sont plus remplis de peur que d'amour.

Très souvent, les éducateurs spirituels ont des attitudes ou habitudes négatives de penser et de croire. Ils ne sont pas des gagnants eux-mêmes. Ils prêchent l'amour sans être eux-mêmes très aimables. Ils sont remplis de peurs.

La véritable spiritualité reconnaît les lois universelles et l'ordre des choses dans l'Univers. La véritable spiritualité n'existe pas dans la superficialité d'un culte religieux ou d'un code de lois. Elle vient de la profondeur et donne à l'existence humaine une dimension globale et éternelle . . .

PROGRAMME DE PEUR À TRAVERS LES ÂGES

Jean Delhumeau a fait une recherche approfondie sur «la peur en Occident» depuis le 14e siècle et même au delà. Il a écrit plusieurs volumes sur le sujet.

Il dépeint les peurs du plus grand nombre (peur de la mort, peur des ténèbres, peur de la peste, peur d'être jugé moralement, peur de la mer, peur existentielle et les peurs de la culture dirigeante).

Les religieux prêchèrent l'attente de Dieu, dénoncèrent la présence de Satan ou de ses agents (entre autres, les Juifs, les sorcières, les Turcs et les femmes). Cette dénonciation se voulait une libération. On est donc parti à la recherche de ces agents (mouvements de l'Inquisition), à la recherche de l'Antéchrist, et l'on annonça le Jugement dernier. On a fait appel au processus de la culpabilisation (autre peur morale). On avait une pédagogie de la peur, du péché et d'obsessions de toutes sortes.

«Même le silence prolongé sur le rôle de la peur dans l'Histoire existe, car le mot peur est chargé de tant de honte que nous le cachons. Nous enfouissons au plus profond de nous la peur qui nous tient aux entrailles (les tripes).» (G. Delpierre)

La peur est une composante majeure de l'expérience humaine. Il n'est pas d'homme au-dessus de la peur. La peur est en nous. Elle accompagne toute notre existence. *L'homme est un être qui a peur.* Freud n'a pas poussé l'analyse de l'angoisse et de ses formes pathogènes, comme les phobies et les obsessions, jusqu'à son enracinement dans le besoin de conservation et de survie. L'animal n'anticipe pas sa mort. L'homme, au contraire, sait très bien qu'il mourra. Il est donc le seul vivant au monde à connaître la peur à un degré aussi redoutable et durable.

Ce qui est malheureux, c'est que l'on a bâti tout un système de contrôle et de motivation des humains sur cette base initiale, cette peur existentielle. Au lieu d'aider l'humain à vivre avec un minimum de peur existentielle, on l'a amplifiée; on a construit tout un réseau politique, religieux et social, qui contrôle l'humain par la peur plutôt que par l'amour et par la liberté.

La liberté d'expression, de mouvement et d'action est une composante ou un ingrédient essentiel de l'amour. Le véritable amour ne contrôle pas, n'enchaîne pas, ne retient pas. Il libère, laisse aller, laisse vivre, laisse parler, laisse agir.

Il est assez évident que les régimes politiques oppressifs, contrôleurs, policiers, militaristes, tels que nous les voyons partout à travers le monde actuel, sont des régimes de peurs. Ils n'hésitent pas à utiliser des fusils, les détentions, les camps de concentration, les rideaux de fer, etc. Contrôle, contrôle, toujours des contrôles . . . Régime de peur . . .

Même de nos jours, la peur est utilisée subtilement pour contrôler des millions de gens, pour une grande majorité à leur insu. La commercialisation à la télévision, à la radio et dans les journaux, se sert de la peur continuellement pour inciter les gens à acheter tout produit de consommation, sinon l'on risque non seulement d'être différent des autres, mais surtout de n'être pas correct, d'avoir une mauvaise haleine, etc.

La peur est encore utilisée ouvertement pour contrôler les enfants. C'est regrettable, très regrettable . . . Lorsque le subconscient a été programmé négativement pendant assez longtemps (les bobines ou les cassettes sont bien remplies d'idées et de croyances négatives), l'esprit conscient se nourrit de cette base ou de ce substrat négatif, qui est dans le sol de notre subconscient, pour créer, inventer une multitude de peurs nouvelles, de phobies ou de peurs excessives. C'est ainsi que de jeunes enfants vont faire des cauchemars, vont avoir des phobies de l'obscurité,. Déjà, ils vivent dans la noirceur.

Ainsi, les humains peuvent créer leur propre misère et leur propre enfer mentalement, et se noyer dans leurs propres peurs imaginées. C'est le cas des psychoses de toutes sortes, des névroses, surtout l'état paranoïaque ou la schizophrénie paranoïde. Les humains ont le potentiel de se détruire par la peur, par leurs peurs imaginées.

Par contre, l'amour épanouit l'humain. L'amour, c'est positif, ça réchauffe, ça fait grandir. La peur, c'est froid, ça gèle, ça étouffe et ça fait mourir.

Il y a des effets positifs et négatifs de la peur, mais la majorité sont négatifs. La peur n'est pas le meilleur stimulant pour l'esprit mental.

Napoleon Hill, dans son livre **Think and Grow Rich**, dit que l'esprit humain répond aux dix stimulants que voici:

1– le désir d'expression sexuelle;
2– l'amour;
3– un désir ardent du prestige, du pouvoir ou pour un gain financier (l'argent);
4– la musique;
5– l'amitié entre des gens du même sexe ou du sexe opposé;
6– un groupe d'échange (Mastermind Group);
7– des expériences communes de souffrance;

8– l'autosuggestion;
9– la peur;
10– les narcotiques et l'alcool.

La peur est toujours à l'affût du contrôle de l'humanité et de notre personnalité. Pourtant, la véritable animation, la meilleure forme de motivation pour les humains, c'est l'amour ou la persuasion avec des idées et des émotions positives.

Avec le bâton ou la force, les humains finissaient par succomber à la peur. Si les régimes communistes pouvaient comprendre ceci, ils régleraient leurs problèmes sociaux, tels l'alcoolisme, le manque de productivité, etc.

D'ailleurs, le monde occidental réglerait aussi beaucoup de ses problèmes sociaux s'il y avait moins de peur et plus d'amour dans le coeur de chaque individu.

On peut essayer de motiver les gens par la manipulation. Tant et aussi longtemps qu'il y a un bénéfice et que l'individu ne se sent pas manipulé, cela fonctionne plus ou moins bien. C'est le principe de la carotte pour faire avancer l'âne. Il faut être quelque peu stupide et avoir bien faim ou que la carotte soit assez tentante, assez grosse. Mais les humains ne sont pas des ânes . . . pas tous . . .

Il est une autre forme de motivation beaucoup plus humanisante, la persuasion. Les idées positives mènent le monde. La logique ou le raisonnement, lorsqu'ils sont accompagnés d'émotions positives, tels le désir, la foi ou la croyance, l'amour, l'enthousiasme, l'espoir, sont beaucoup plus valorisants, puissants et durables. Il s'agit alors d'une motivation, d'une véritable animation par l'intérieur . . .

Lorsqu'on a une image positive de soi, une confiance inébranlable, un amour de soi sans condition, on est énergisé et motivé par cette trinité d'amour qui est une source inépuisable de motivation intérieure.

et si on le constate, on ne réagit pas négativement. On le prend comme ça vient et on le laisse aller.

Voici un autre exemple d'attitude négative. Une vieille dame de soixante-douze ans insistait pour avoir l'air de quarante ans, faisant de multiples grimaces ou contorsions faciales. Son visage rempli de rides reflétait son attitude négative envers elle-même. Elle avait des rides dans l'esprit. Elle avait peur de vieillir et refusait systématiquement de vieillir avec grâce, d'être active, joyeuse et belle à son âge.

Aussi s'accrochait-elle en vain et recherchait-elle la compagnie de gens beaucoup plus jeunes qu'elle. J'essayai de lui montrer qu'avec un beau sourire, elle devenait beaucoup plus jolie et que ses rides disparaissaient presque de moitié avec un regard épanoui plutôt qu'une grimace.

Voici ce qu'une amie m'écrivait. «Bonjour Bernard. Je t'écris de l'aéroport de Mirabel. Je suis toujours intéressée à la connaissance profonde de moi-même. Je dirais qu'aujourd'hui je refoule beaucoup plus ces questions. Je passe un moment d'indécision et de déception. Je n'ai aucun but devant moi. Je ne sais pas pourquoi je suis sur la terre. Je manque de confiance en moi.

«Je n'accepte pas mes sentiments surtout en ce moment. Je sais que je dois les surmonter mais je ne les comprend pas. Ces sentiments doivent être vécus, non compris et analysés.

«Je suis une personne réservée, riant peu. En dedans, j'aimerais être une personne différente. Je lâche beaucoup d'agressivité dernièrement mais sur les bonnes personnes. J'accumule jusqu'à un certain degré et ensuite j'explose.

«Je suis possessive et jalouse car je me crois moins bien que d'autres. Pourtant j'ai de bonnes qualités selon mes amis. Je suis négative mais j'aimerais devenir plus positive.

«Je sais que mon entourage m'influence d'un côté et de l'autre mais moi j'ai besoin d'être motivée, d'être sécurisée; j'ai besoin d'amour et de beaucoup d'amis et surtout d'un bon ami. Je m'attache trop vite et je souffre à chaque fois.

«On me dit indépendante. Pourtant moi je sais que je suis le contraire. Je suis orgueilleuse mais je marche dessus bien souvent pour avancer. Je compte beaucoup trop sur les autres pour avancer et pour mon bonheur.

« J'aimerais voir l'avenir avec plus d'optimisme. Je sais que le bonheur se construit chaque jour mais j'ai de la difficulté à l'admettre ces jours-ci. J'aimerais savoir si ce que j'éprouve est de l'amour ou de l'habitude envers l'un de mes amis. Comment faire pour le savoir?

« Je suis prête à partager ma vie avec quelqu'un mais l'autre n'est pas prêt. Il a besoin de plus de liberté. Il ne veut pas s'engager à 100 % pour le moment.

« Moi je n'accepte pas. Enfin, je ne suis pas entièrement bien dans ma peau. Je veux de l'aide pour m'affirmer, bien me connaître et m'accepter dans mes décisions. Je veux des renseignements sur ce que vous pourriez m'offrir.

« J'ai déjà beaucoup lu de livres sur le sujet mais ça fait déjà quelque temps que je les ai lus. Lesquels me conseillez-vous pour commencer? J'aimerais des renseignements aussi sur les cassettes. J'ai besoin d'aide. Je veux m'améliorer et je ne sais pas par quel bout commencer.

« J'ai pensé à toi. Merci de m'avoir lue.

« P.S.: En me regardant dans le miroir samedi, je me suis sentie vidée. J'ai l'impression que j'ai l'air vide, le regard vide. C'est comme si j'avais tout donné à mes amis depuis le mois de septembre et je n'ai plus rien pour m'aider. Je suis au fond du trou et je ne sais plus comment remonter. S'il vous plaît, aidez-moi. J'attend de vos nouvelles au plus vite.

« Pauline. »

LES ÉQUIVALENTS OU LES MASQUES DE LA PEUR

Il est un malaise psychologique qui est répandu sous forme d'épidémie parmi les humains. La maladie la plus commune des humains, c'est la peur, sous toutes ses formes ou masques.

En effet, il s'agit de regarder dans les yeux et de serrer la main des individus en grand nombre pour constater jusqu'à quel point la majorité des gens vivent dans la peur, dans l'anxiété chronique. Inconsciemment, ils ont une peur de vivre, une peur vague sous-jacente qui colore leurs pensées, leurs croyances (attitudes) et leurs actions (comportements et habitudes).

Ils vivent dans l'attente d'un désastre personnel, comme si quelque chose de terrible devait leur arriver à un moment ou l'autre. Ils ont les mains froides et humides, les pieds gelés, les yeux anxieux, le coeur au rythme accéléré et le regard plutôt pâle sous un certain fard.

Leur niveau de catécholamines et de cortisol, deux hormones de stress, est élevé comme si elles devaient se battre ou se défendre contre l'ennemi. Pourtant leur ennemi est dans leur esprit. Il est le fruit de leur imagination, de leur subconscient qui joue de vieux messages de peurs d'autrefois, qui déroule continuellement les vieilles bobines.

Ils n'en sont même pas conscients. Ils sont prisonniers de leurs peurs, de leur esprit subconscient, de leur mémoire remplie de peurs.

Il en est de même de l'anxiété chronique et des attaques d'anxiété. Une montée soudaine du niveau d'anxiété incontrôlable donne l'hystérie ou l'hyperventilation. L'anxiété, ça ronge mais ça n'attaque pas l'humain. La majorité des cas d'hypertension artérielle sont considérés par les médecins comme étant de nature essentielle, pour ne pas dire purement psychosomatique, ayant leur origine dans un subconscient rempli de peurs de toutes sortes.

Les peurs font parader les humains dans les salles d'urgence ou dans les cabinets de médecins, au grand galop ou au petit trot à toute heure du jour et de la nuit (la nuit surtout).

Pendant longtemps, je ne comprenais pas la source de toutes ces vagues d'anxiété qui déferlent sur les plages de la conscience des humains. Toutes ces vagues proviennent plutôt des profondeurs de la mer du subconscient et elles sont souvent augmentées par les vagues extérieures des dangers réels (8 % environ). La plupart des peurs (92 %) sont imaginaires . . . Elles proviennent du subconscient qui enregistre et garde en permamence ces messages de peurs pour les faire jouer fréquemment sur l'écran de l'esprit conscient comme de vieux films (reprises). Surtout le soir, à l'arrêt des activités physiques.

Au lieu de penser à des idées nouvelles, positives, les gens se passent leurs anciennes idées ou leurs messages négatifs, et ils pensent qu'ils pensent. Naturellement, ils se font des peurs . . . Aussi les médecins et les psychologues n'auront-ils jamais fini de prescrire des sédatifs ou des idées nouvelles, et d'essayer en vain d'arrêter le déroulement des bobines remplies d'idées négatives ou de peurs.

La solution consiste plutôt à enregistrer de nouveaux messages, à changer de bobines, de disques ou de disquettes. Et la première qui doit être changée, c'est celle d'une image de soi. Seul, l'individu doit se reprogrammer.

Essentiellement, notre esprit est une manufacture de peurs.

Mise à part l'anxiété, ou peur de vivre ou peur existentielle, *la peur a de nombreux masques, de nombreux équivalents.* On note la gêne, la précaution, le doute, le scepticisme, la rigidité mentale, le goût de la tradition, l'obsession en toutes choses, la peur de ne pas être parfait, de ne pas avoir raison, d'être différent, de ne pas être habillé correctement, à la mode, d'être critiqué, de changer, la peur de l'inconnu, de mourir, d'avoir peur, d'aimer, de toucher, de l'ouïe, d'essayer quelque chose de nouveau, la peur de laisser aller, de l'obscurité, du temps, du beau ou du mauvais temps. Toujours des peurs maudites, et encore d'autres peurs!

Que dire des nombreuses pages du dictionnaire pour énumérer les phobies ou la longue liste de ces peurs excessives!

Que dire du scrupule, de la pudeur, de la culpabilité ou de la peur morale! On a laissé tomber beaucoup de peurs morales, de péchés, de confessions, de séances au confessionnal. On a la conscience moins timorée, l'esprit conscient et subconscient moins rempli de peurs inutiles . . .

LES EFFETS POSITIFS DE LA PEUR

Occasionnellement, la peur est un instrument de défense, de protection, et une force face au danger réel.

Encore faut-il que la peur ne soit pas trop grande pour ne pas paralyser ou même tuer celui qui doit se défendre par un influx nerveux parasympathique ou vagal.

La peur est un système d'alarme de la nature humaine pour se défendre ou se protéger. C'est un système quasi automatique basé sur l'instinct de survivance. Ainsi, un chauffeur va tenter d'éviter une automobile lors d'un accident; la mère va empêcher son enfant de tomber. Cette émotion va déclencher une énergie sans pareille de notre corps subtil astral en cas de vie ou de mort.

LES EFFETS NÉGATIFS DE LA PEUR

La liste des effets négatifs de la peur est beaucoup plus longue. La peur engendre une fatigue chronique ou un manque d'énergie et mène à la dépression.

Lorsqu'on est déprimé, on dort mal, on a peu d'intérêt pour quelque forme d'activité que ce soit. On a une image et une estime de soi passablement réduites. On manque d'énergie, de concentration intellectuelle. L'appétit est perturbé. On se sent agité ou peu actif. On entretient même des pensées suicidaires ou de mort.

En fait, un déprimé est un mourant sur le plan psychologique. Il a besoin d'un médecin (psychiatre) qui, avec des idées positives et des médicaments anti-dépresseurs, pourra aider l'individu à rétablir son équilibre intérieur.

Mais il ne suffit pas de le normaliser. Il faut aider l'humain à se reprogrammer pour augmenter sa capacité d'aimer plus que la moyenne ou l'ordinaire, sinon il aura tendance à retourner dans un négativisme plus profond ou une nouvelle dépression.

« *La véritable animation ou solution à la dépression est intérieure; elle est basée sur une image positive de soi, une confiance inébranlable et un amour de soi sans condition.* » (BPL)

Lorsqu'il vit assez longtemps dans la peur, l'humain a peu d'énergie. Il est paralysé dans une espèce d'apathie, d'inertie, de paresse, d'ennui, d'agitation, d'anxiété et d'un malaise profond. Il peut essayer d'oublier toute sa douleur ou son mal de vivre dans l'alcool, le plaisir ou d'autres formes d'agitation mais, tôt ou tard, ce malaise le poursuivra nuit et jour, entraînant des insomnies.

La solution est de choisir l'amour, l'amour de soi, en apprenant à découvrir ses besoins, ses ambitions, en se donnant du silence, en se recueillant régulièrement, en faisant le point sur soi-même au moins une ou deux fois par jour.

Avec l'amour, on devient beaucoup plus énergisé, on a le goût de créer, d'organiser, de se développer. On a l'habileté de se motiver ou la capacité de s'auto-motiver ou de s'autopropulser. On ne dépend pas des forces extérieures, des autres. Plus on s'aime, plus on a de l'énergie pour se dépasser, pour se réaliser.

Avec l'amour, on reste fort malgré l'environnement qui peut être passablement négatif. *La source principale d'énergie, c'est l'amour. «Si je n'ai pas l'amour, je ne suis rien»*, a dit saint Paul.

Les autres formes d'énergie, ou bougies d'allumage, chez l'humain, autres que l'amour ou que la grande capacité de s'aimer et d'aimer les autres, sont la capacité de jouir, de lutter, de penser, de créer, de rêver et de voir en profondeur.

Toutes ces capacités, ces formes d'activités ou tous ces centres d'énergie peuvent être développés ou allumés, pourvu qu'il y ait d'abord l'amour.

On sait que la peur peut même tuer un individu. Il est rapporté dans les annales russes de recherches scientifiques qu'une personne a gelé dans son esprit alors qu'elle croyait devoir geler dans un wagon réfrigérant. Pourtant, la température ne descendit jamais plus bas que le niveau normal. Psychologiquement, cette personne a gelé. Elle s'est vue geler (image). Ses images sont devenues tellement fortes qu'elles sont devenues réalité. Ses images de peur l'ont tuée.

L'amour, ça donne des ailes . . . La peur, ça dépressionne, ça fait traîner les ailes dans la boue, ça paralyse. Un manque d'amour de soi, une image négative de soi amènent une perte de vitesse, un plongeon dans le vide, une dépression.

Le manque d'amour de soi rend l'humain «dégonflé», peu vivant, peu énergisé, toujours fatigué.

La plupart des désordres psychiatriques comportent des peurs de toutes sortes. Il y a peu ou pas d'amour de soi et des autres chez les malades psychiatriques, les criminels, les alcooliques et chez toutes les autres formes de comportements obsessionnels et abusifs.

On ne vit pas d'amour, on vit de peur. On en veut à sa vie morne et à tout le monde. On cherche à se tuer, à petit feu ou en réalité, ou à tuer les autres (physiquement ou moralement) en les critiquant et les blâmant tout le temps.

La peur, c'est froid, ça gèle les humains . . . La peur, ça fait mourir les humains et ça les fait vieillir beaucoup plus vite.

Devant une personne très anxieuse, remplie de peurs, fumant jusqu'à trois paquets de cigarettes (sans compter l'alcool et les autres formes de suicide systématique, comme le travail excessif), il n'est pas rare de voir des humains, n'ayant pas quarante ans, avec des vaisseaux coronariens bloqués ou des artères dans l'aine.

Que dire maintenant de l'usure générale des tissus ou des cellules par irritation chronique, de la montée en flèche des cas de cancer avec le degré de pollution!

Dans le domaine de la santé, tout comme dans le domaine des affaires ou du succès, on récolte toujours ce que l'on sème. C'est là la même loi de cause à effet. Les conséquences néfastes, les maladies et les malaises sont le reflet d'une attitude mentale négative envers soi-même. On a peur de prendre soin de soi. On est dur pour son corps ou pour soi-même. On n'a pas assez de coeur . . .

La peur est l'ennemie numéro un de l'amour, du succès, de la santé, de la prospérité et du bonheur. La peur paralyse et empêche l'action et retient même des mastodontes ou des éléphants. Programmés dans la peur dès le jeune âge, ces animaux demeurent prisonniers de leurs peurs à tel point qu'on les retient avec une petite corde ou même un ruban attaché à un piquet symbolique.

Alors qu'ils étaient jeunes, ils ont beaucoup souffert de douleur en cherchant à se libérer les pieds ensanglantés, prisonniers d'une attelle métallique solide. Une fois conditionnés à la peur, celle de se blesser, les éléphants devenus adultes n'essaient même plus de se libérer les pieds. Ils savent mieux.

C'est seulement lorsqu'une peur plus forte, tel un feu ou un coup de fusil, vient les pousser vers l'action, les « dégeler », les déconditionner, qu'ils vont apprendre quelque chose de nouveau, qu'ils vont acquérir une certaine confiance en eux et qu'ils vont comprendre qu'ils sont capables de vivre différemment. Une fois qu'ils ont appris quelque chose de nouveau, jamais ils ne se laisseront attacher ou retenir par une petite corde symbolique ni même un gros câble. Ils foncent et défoncent. Ils sortent du joug ou du malaise. Ils ont du courage, du coeur. Ils n'ont plus peur . . .

De même, le barracuda dans son aquarium, une fois programmé à ne pas traverser une ligne imaginaire ou à ne plus essayer de manger les petits poissons, se laissera mourir de faim plutôt que de vaincre sa peur et essayer de nouveau. C'est ça, la peur !

Il en est ainsi des humains. Mais, lorsqu'on se rend compte que nos peurs nous paralysent et qu'on décide de se libérer de la peur, jamais plus on ne veut vivre sous cette forme d'esclavage.

Ça prend beaucoup d'énergie (amour de soi, du coeur) et de la persistance (du temps) pour déplacer ou remplacer un programme de peur par un programme d'amour, mais c'est possible . . . oui, très possible . . .

Il s'agit d'imprégner le subconscient avec assez de messages positifs et de charges positives pendant une période de vingt à trente jours pour qu'il devienne, à son tour, positif et rempli d'amour, de confiance en soi (un croyant plutôt qu'un douteux).

Pour emprunter les mots de Jean Vanier: « Notre humanité est criblée de peurs et nous sommes une humanité très souffrante, paralysée, peureuse. »

Si seulement nous apprenions à nous aimer nous-mêmes, sans peur, sans condition (développer une grande capacité d'aimer), non seulement serions-nous des gens plus heurreux mais les plus forts du monde.

Il n'appartient qu'à nous de nous reprogrammer. C'est entre nos mains . . . Ça prend un peu de temps et surtout du coeur.

LES PEURS EMPÊCHENT LE DÉVELOPPEMENT DU POTENTIEL HUMAIN

Elles empêchent les humains de se réaliser complètement, de vivre pleinement leur vie, d'exploiter leur humanité ou leurs trésors cachés, leur mine d'or.

La peur a le potentiel de contrôler les humains, les populations entières, l'humanité même et les personnalités. *La peur a le potentiel de mener le monde.*

C'est le fait des guerres, des phénomènes comme Hitler, etc. Aussi, le communisme est-il un système politique basé sur la peur. Plusieurs systèmes politiques sont ainsi orientés et animés par la peur. Un groupe de dirigeants, que ce soient des dictateurs, des *junta*, des *politburo* ou des oligarchies, exercent leurs influences à l'aide de lois rigides, de sanctions sévères et de contrôles serrés.

Ces trois ingrédients constituent l'essence de ce jeu politique basé sur la peur plutôt que l'amour. Les humains ainsi paralysés dans leurs peurs deviennent souvent des peureux et sont dans une inertie totale (lâcheté collective).

L'imagination ou la capacité créatrice de l'esprit, lorsqu'elle est orientée vers l'amour, a de nombreuses ressources d'énergie et de courage.

D'autre part, lorsque le même esprit créateur, inventif, imaginatif, est orienté vers le pôle de la peur, non seulement devient-il la victime sans contrôle de ses peurs (état paranoïde, schizophrénie) mais devient-il agressif, violent. Il imagine même un ennemi contre lequel il devra se défendre.

La pègre fait partie de ces régimes négatifs de peur, de terreur, du non aimable, du régime des perdants . . .

La peur au niveau des masses a été responsable du plus triste chapitre de l'Histoire ancienne et même moderne. On a subi deux guerres mondiales en moins de cinquante ans et on vit avec la menace constante d'une troisième, plus radicale.

Si la peur collective s'empare de toute une population, qu'elle soit imaginaire ou réelle, cette population dirigera sa peur contre un groupe minoritaire, tels les Juifs, les Biafrais, et pourra même contribuer à un génocide.

Ce n'est certainement pas seulement dans les mains de Torquemada, du temps de l'Inquisition, que la peur a servi d'outil pour les persécutions et les tortures. On voit la peur en action chaque jour où des groupes d'une même nation s'entretuent pour éliminer le clan opposé qui fait peur.

C'est pour cela que six pays dépensaient huit cents BILLIONS de dollars, ou l'équivalent de 166 $ pour chacun des humains sur terre, en 1984, pour la défense nationale, d'après l'O.N.U. (Organisation des Nations-Unies).

La tentative de génocide de deux peuples (trois millions de Juifs et un million de Biafrais) ne sont que deux exemples parmi tant d'autres de l'inhumanité de l'homme envers son semblable.

Décidément, l'homme est un loup pour l'homme. Il n'a pas encore appris à se libérer des peurs et des instincts primitifs d'agressivité de la jungle. Fondamentalement, celui qui est différent de nous nous fait peur, nous dérange et nous compétitionne dans le partage des ressources de la terre. On a peur de ne pas en avoir assez . . .

Une autre peur: . . . l'orgueil . . .

L'orgueil est une peur commune, très répandue chez les jeunes, parmi de nombreux adultes, surtout chez les politiciens et les professionnels.

Beaucoup de gens passent leur vie à se donner des airs, à gonfler leur ballon intérieur ou leur faible moi. Ces gens vivent en danger continu, car ils n'ont pas appris à développer une épaisse couche d'amour de soi. Ils ont plutôt appris à porter des masques, à se gonfler l'ego et sont toujours sujets à avoir leur ballon dégonflé.

L'orgueil se manifeste sous le masque du statut, de la recherche du prestige social, du pouvoir, de la reconnaissance publique, etc.

Beaucoup de gens portent des masques, à leur insu, afin de dissimuler des peurs inconscientes profondément cachées dans leur subconscient.

Le cynisme, le doute, le scepticisme, la gêne et la culpabilité sont d'autres masques de peur. Plus vite on devient conscient et on apprend à faire face à ces menteurs d'un même front, plus vite on peut *choisir* de les laisser aller ou de les garder.

Autre peur: l'homosexualité et le lesbianisme.

L'homosexualité est une forme de peur, celle des personnes de sexe différent. Cette forme d'expression sexuelle implique une image négative de soi, tout en conservant une sensualité, une certaine capacité de s'aimer et d'aimer ses semblables. Je pense que l'homosexualité et la bisexualité impliquent une peur d'engagement profond avec un autre être. Il a assez d'amour pour accepter un partage, un don limité superficiel de soi, mais sans profondeur ni permanence.

L'INTELLECTUALISME OU LA PEUR DE NE PAS AVOIR RAISON

Il est une forme subtile de peur très répandue dans la société: le goût d'avoir raison, de s'obstiner, de critiquer, de condamner ou de chiâler.

Que de gens, nombreux autour de nous, ne font que cela! Ils passent leur temps à analyser, critiquer, condamner les autres plutôt que de voir le côté positif, aimable d'une personne. Ils ont des pensées offensives et offensantes.

L'entêtement, l'obstination, l'insistance pour avoir raison sont des formes de peur de ne pas avoir raison. Cette rigidité d'esprit favorise l'argumentation et non la compréhension et le dialogue. *On a l'esprit fermé. On insiste pour avoir raison. On sait tout. On est le meilleur.*

Le légalisme et l'unionisme à outrance où règnent les entêtements, les confrontations, les insistances pour avoir raison, les rigidités d'esprit et l'orgueil sont le reflet d'attitudes négatives basées sur la peur.

Beaucoup de jeunes et de couples affichent des attitudes négatives ou leur programme de peur. Que de disputes de famille, de voisins et de taverne ont leur origine dans cette insistance pour avoir raison, dans cette peur de ne pas avoir raison!

On se bat, même physiquement, après s'être battu intellectuellement avec des mots, des critiques, des jugements de toutes sortes, et après s'être battu émotivement avec des peurs, doutes, jalousies, haines, revanches, de l'avarice, de la colère et des superstitions.

On perd toujours quelque chose dans un argument, un entêtement, une obstination ou une insistance pour avoir raison plutôt que d'être heureux.

Parfois, on peut avoir l'impression d'avoir gagné un argument, mais on a perdu un ami. On a la consolation d'avoir raison, mais le malaise profond d'être seul, surtout à l'heure du coucher. Vivre dans le conflit ou la paix intérieure, c'est un choix personnel . . .

L'intellectualisme, ou dominance de l'esprit sur les sentiments, se manifeste chez les individus qui passent *leur temps à vouloir savoir pourquoi* et à se poser de multiples questions sans jamais trouver toutes les réponses.

Plus on analyse, plus on se paralyse, on se creuse des trous et on se rend malheureux. Nous n'aurons jamais toutes les réponses à toutes les questions, à toutes nos questions. C'est à nous de nous limiter, de poser les questions essentielles et de laisser tomber les autres.

C'est à nous d'agir plutôt que de passer notre temps et nos énergies à questionner. Plus on passe de temps à se questionner, plus on se paralyse en s'empêchant de passer à l'action. C'est un jeu mental, un truc de l'esprit, afin de bloquer ou de retarder l'action.

Quand on a peur d'agir, notre esprit a subtilement appris à poser des questions. *On peut apprendre en questionnant mais il est une meilleure façon d'apprendre, c'est de le faire.*

C'est ce qui a fait dire à Wayne Dyer, psychologue: «*J'entends et j'oublie, je vois et je me rappelle, mais je fais et je comprends.*»

Il est aussi évident que la meilleure façon d'apprendre et de comprendre consiste à agir, à se définir dans l'action, à sortir de sa tête ou de son intellectualisme, car comme le dit Jean-Marc Chaput: «*La tête, c'est un 'brake' ou un frein et le coeur, c'est le moteur.*»

Un ami écrivait à un autre: «Ce que j'essaie de faire depuis longtemps, c'est de me psycho-analyser. Avec ton aide, j'ai eu beaucoup d'idées, mais beaucoup d'entre elles se sont avérées fausses n'étant pas reliées à mon problème.

«Quelquefois même, je me pose des questions. Je me demande si je ne risque pas assez. Je ne suis pas d'accord à dépendre des médicaments pour taire mon esprit, mais je ne sais pas trop comment le faire autrement. J'ai l'impression de tourner en rond, mon esprit est une espèce de 'merry-go-round' qui répète continuellement le vieux disque.

«Je serais intéressé à comprendre davantage tout ce monde de la psychologie et je serais intéressé à passer du temps dans un hôpital psychiatrique.

«Y aurait-il un endroit où je pourrais m'inscrire volontairement? Est-ce qu'il est possible d'avoir une expérience sans être hospitalisé avec des gens qui sont confus ou perdus?»

Est-ce que? Est-ce que? Est-ce que? Pourquoi? Pourquoi? Pourquoi? On n'aura jamais fini de poser des questions et encore moins de répondre à toutes ces questions. L'important, c'est d'agir ou de mettre un frein à tout cet intellectualisme.

L'insistance pour avoir raison, ou la peur de ne pas avoir raison ou d'être dans l'erreur, c'est une autre peur très subtile. Quand on essaie d'avoir raison, on se tend, on devient rigide mentalement; on retient ses échecs et on se ferme aux idées nouvelles.

Quand on a l'esprit rigide ou une constipation mentale, il y a tendance à avoir une correspondance sur le plan physique, l'analité, l'anismus (spasme anal) et le vaginisme.

On a également tendance à retenir non seulement nos idées mais nos façons de faire. À ce moment-là, on retient des traditions, on est conservateur ou traditionaliste, peu ouvert au changement.

Le phénomène américain du non-traditionalisme (Révolution américaine), en laissant tomber des traditions, la Couronne, les contrôles de toutes sortes, a favorisé l'épanouissement, le développement de la libre entreprise et, par là, son développement économique et le développement de la personne.

PEUR DE L'IMPERFECTION

Il est *beaucoup plus important de devenir excellent* et le *meilleur possible, de devenir tout soi-même* plutôt que *de devenir parfait.* Lorsqu'on insiste pour être parfait, qu'on a peur de ne pas l'être, on se bloque ou on se retient et on ne passe pas à l'action.

Pourtant, ce sont dans les actions que l'on se définit et en agissant que l'on devient excellent. Cette même peur de ne pas être parfait et d'être jugé ou critiqué par les autres pousse la personne à un comportement de type A, vers des excès dans le travail, vers une agitation ou une nervosité ou une obsession au point de vue temps.

J'ai vu tellement de gens, durant ma pratique, qui essayaient d'être parfaits et qui, aux fond d'eux-mêmes, étaient tendus et malheureux. Ils avaient des maux de tête et des spasmes musculaires et toutes sortes d'autres malaises.

Le goût de l'excellence est beaucoup plus humain que la perfection.

Il se peut que l'excellence mène à la perfection. Il est plus important cependant de viser l'excellence que la perfection parce que cette dernière est plus divine qu'humaine.

PEUR DU PLAISIR

La peur du plaisir est courante chez les gens plus âgés. On se sentait coupable de jouir, d'avoir du plaisir, de se toucher et de toucher les autres.

Pourtant, la sensualité et la sexualité sont une source d'énergie, une source de plaisir en même temps. C'est un centre d'énergie très important pour l'humain.

Le désir augmente l'amour et le plaisir augmente le plaisir. Car le plaisir et l'amour sont les deux faces d'une même pièce de monnaie.

Mais, pour toutes sortes de raisons et de peurs morales, on a tenté de supprimer le plaisir et ainsi on a empêché beaucoup d'humains de développer une grande passion ou une capacité d'aimer.

Très souvent, on a substitué ou sublimé le plaisir sous le couvert de l'argent, du pouvoir, du prestige, plutôt que de développer sa capacité d'aimer soi-même et les autres, son environnement et son Dieu.

Jadis, l'enseignement religieux était particulièrement chargé de peurs. On était gêné d'admettre que le plaisir sensuel était une source d'énergie pour l'humain si ce dernier apprenait la modération et l'étreinte amoureuse prolongée, et non la débauche, le drainage ou la masturbation à deux.

Souvent, dans notre société, on se préoccupe de rechercher le plaisir dans le «fun», mais cela est très passager et peu satisfaisant, sans lendemain.

On dépense énormément de temps et d'efforts pour se procurer du «fun», mais on demeure fondamentalement frustré. Le plaisir, par contre, même s'il est passager, permet à l'humain de vibrer avec passion et augmente sa capacité d'aimer.

Il ne faut pas avoir peur de toucher les gens. C'est une bonne façon de les rejoindre, de les énergiser, de les toucher émotivement, de les réchauffer avec notre énergie d'amour.

Un message d'amour passe beaucoup mieux avec le toucher qu'avec des mots seulement. Le langage du corps est plus puissant que les mots.

On a supprimé le plaisir sensuel autrefois avec des mutilations corporelles afin de dompter la chair. On a voulu bloquer les sensations et même punir le corps (masochisme et sadisme). On se sentait coupable (peur morale) de ressentir avec le corps, d'être pleinement humain. Quand on essaie de faire l'ange, on est bête . . .

On a voulu empêcher les vibrations plaisantes du corps en portant des vêtements serrés, surtout des soutiens-gorge et des corsets. En gênant la respiration, on devient anxieux rapidement, parce que moins bien oxygéné et énergisé.

Au lieu de célébrer cette source d'énergie qu'est la sensualité, souvent on l'a condamnée et on s'est senti coupable. On a vécu dans la peur morale plutôt que de s'en servir comme une source d'énergie et de plaisir. On a fait du plaisir une source d'humiliation plutôt que d'énergie.

Tous les besoins essentiels à la vie sont associés à un plaisir comme récompense lors de leur satisfaction, par exemple, boire, manger, déféquer, uriner, dormir, copuler, bouger (danser, jouer), toucher et masser le corps.

Mais on a tellement mis de tabous ou de peurs dans la tête des gens que ces derniers ont peur de satisfaire leurs besoins sans se sentir coupables.

Pourtant, il y a toujours un prix à payer pour avoir bafoué, méprisé et négligé le corps. Nous sommes des êtres spirituels incorporés, ni ange ni bête. Quelle merveilleuse alliance à célébrer chaque jour !

Généralement, les gens respirent mal. Leur respiration manque d'amplitude; ils ont tendance à retenir leur souffle. Lorsqu'on a peur, on retient son souffle, ce qui engendre d'autres peurs, des anxiétés, de l'irritablité, des tensions et des douleurs.

En respirant profondément, le corps se recharge d'énergie, d'oxygène et de vie. Tôt dans notre vie, nous perdons l'art de bien respirer, peut-être à cause de nombreuses peurs déjà implantées dans notre subconscient.

On a tôt fait de diminuer cette onde ou cette vague qui constitue la respiration, par laquelle tout notre corps s'ouvre en accordéon en commençant par une première succion de l'air au niveau du larynx.

Pour stimuler cette respiration partiellement déficiente, beaucoup de gens vont obtenir une satisfaction à aspirer une bouffée de fumée, qui stimule les poumons et donne une impression de plénitude ou de remplissage complet des poumons.

Graduellement, de cigarette en cigarette, on se crée une habitude négative qui devient un automatisme dont il est très difficile de se départir, ancré très profondément dans le subconscient, nourri de peurs très profondes et d'images assez négatives de soi ainsi que d'un certain manque d'amour de soi.

Très tôt, le tabagisme devient une forme d'esclavage à laquelle est assujettie une partie importante de notre population.

Secrètement ou ouvertement, on doit se débarrasser de cette habitude et de cette programmation négative que l'on s'est donnée lors de l'adolescence, par manque de respect, d'amour de soi. Sans être très conscient de la multitude de produits chimiques plus ou moins empoisonnants (plus de

POURQUOI TANT DE POLLUTION
DANS MA VIE ?

quatre mille substances toxiques ont été identifiées), l'on est de moins en moins satisfait de l'effet et l'on augmente la quantité avec les conséquences néfastes à long terme.

Que dire de l'effet de tous ces produits chimiques sur le système d'immunité ou de défense du corps, sur la capacité de penser ou de voir clair, d'avoir une conscience ou une lucidité développée avec un tel écran de fumée?

Même si, initialement, il semble y avoir un effet stimulant, la cigarette et la fumée ont un effet dépressif sur le cerveau et sur tout l'organisme, car c'est un poison, un multipoison complexe et très néfaste.

La dépression se manifeste au niveau de la respiration. Plus on fume, moins la respiration est profonde et plus on doit avoir recours à la caféine pour la stimuler.

Ainsi le matin, en se levant, en faisant face aux dangers imaginaires ou réels de la journée, on a souvent recours à la pause café plutôt qu'à la pause santé.

Comme toutes les autres habitudes, il est très difficile de laisser tomber le tabagisme. Cela prend du temps (effort, patience, répétition) et surtout du coeur (amour de soi, respect de soi, courage, volonté) pour le faire, pour réussir ou, mieux, pour une reprogrammation du subconscient.

LA PEUR D'AIMER

Tous les humains ont le choix de vivre les mains fermées ou les mains ouvertes. La peur d'aimer, de toucher l'autre, est très répandue.

L'amour est une source très importante d'énergie chez l'humain et, pourtant, on a peur de risquer, on a peur d'aimer.

Si j'ai peur de m'aimer et d'aimer les autres, je me raidis, je retiens les autres en essayant de les contrôler, de les retenir un peu avec une poignée ou les mains fermées, surtout les gens qui m'entourent et dont j'ai besoin.

Plus je tente de retenir une personne, plus je la perds et plus elle cherchera à s'éloigner de moi. En outre, j'éloigne les gens que je voudrais aimer et dont je voudrais être aimé. L'amour véritable libère toujours et n'enchaîne jamais.

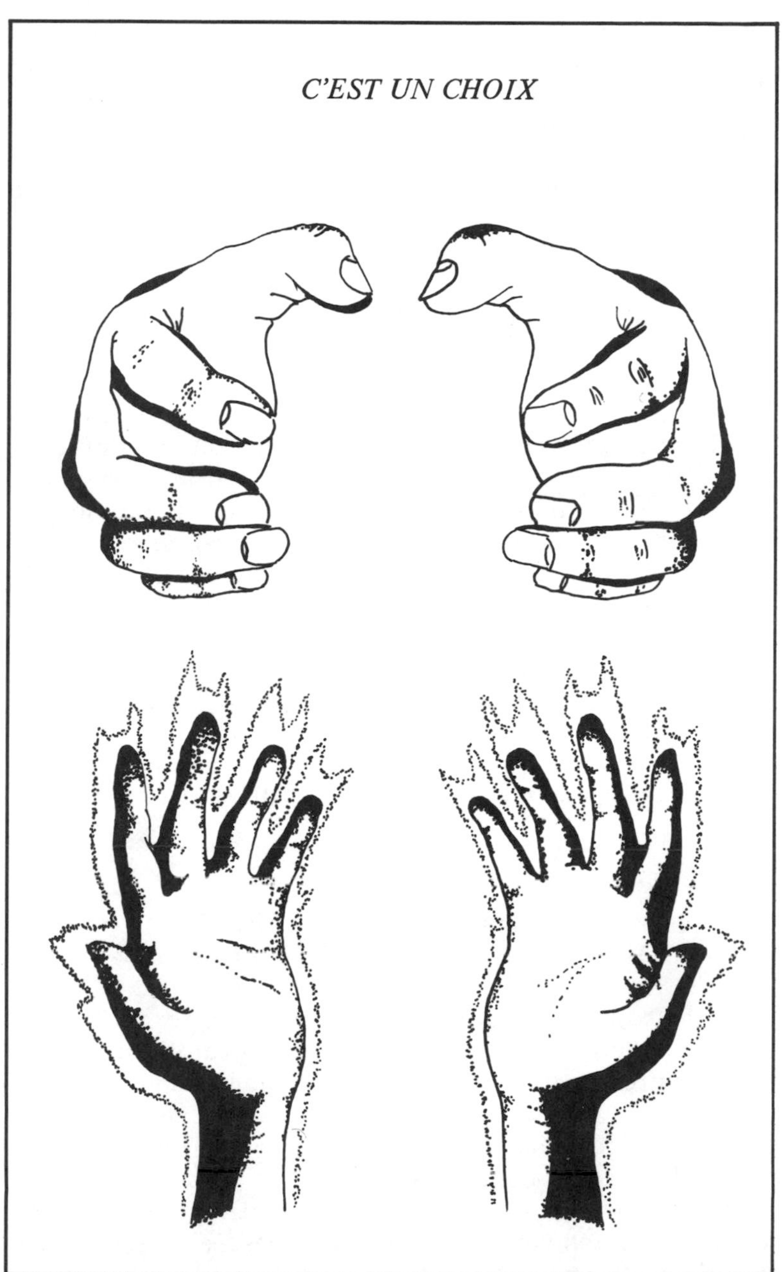
C'EST UN CHOIX

L'enseignement de Jésus de Nazareth, issu des courants de pensée philosophique étrangement apparentés à ceux des Esséniens, des Hindous et des Égyptiens, était très humaniste, basé sur l'amour inconditionnel: « Aime ton Dieu et ton prochain comme toi-même ! » Ce messie tant attendu des anciens était davantage un amoureux, un guérisseur, qu'un libérateur politique ou un organisateur de religion. On a vite fait de multiplier les règles, les sanctions, les peurs morales, et d'inventer au delà de 2 500 religions ou sectes.

Assez tôt, on l'a bâtardisée en multipliant les règles et les sanctions pour en faire une religion semblable à celle que les Juifs pratiquaient du temps de Jésus.

Ainsi, dès les premiers temps de la chrétienté, on a prêché l'amour et insisté pour avoir raison, d'où les conflits de toutes sortes et les confrontations. La religion, comme la politique, engendre trop souvent une atmosphère propice aux guerres et aux disputes. On préfère avoir raison plutôt que d'aimer, tolérer, laisser faire, laisser vivre. Le manitou des Indiens est aussi bon, aimable et divin que le nôtre. On peut exporter des religions ou des cultes, non une spiritualité.

En voulant évangéliser, coloniser et civiliser les « païens » on leur a peut-être causé plus de tort que de bien. Le plus grand amour est inconditionnel. « La paix sera nôtre à travers le monde lorsque le pouvoir divin de l'amour aura remplacé l'amour peu divin du pouvoir. » (SRI CHINMOY)

LA CONFORMITÉ, LA MODE OU LA PEUR D'ÊTRE SOI, DIFFÉRENT

La conformité ou la mode est une autre forme de peur. On a peur d'être différent des autres, on a peur d'être critiqué par les autres sur notre habillement. Vraiment, on essaie de se conformer à une norme qui change tous les six mois, et même tous les trois ou quatre mois, dans une société de consommation et d'industries commerciales.

La mode est une autre forme d'esclavage et de contrôle. Trop de femmes et trop d'hommes se surveillent, se regardent, s'analysent, se jugent, se critiquent, ouvertement ou intérieurement, jugeant du style de l'habillement de leurs voisins ou de leurs amis.

La peur d'être jugé et critiqué par ces mêmes gens peu aimables, l'orgueil et la fierté de paraître mieux que l'on est, la peur de se montrer tel qu'on est, sans masque, sans fard, sans faire semblant, sont autant de peurs déguisées, subtiles et fort courantes dans notre société moderne et superficielle.

On aime avoir raison, être habillé correctement, selon les normes courantes et changeantes. Pourtant, la véritable beauté est intérieure. Elle est le reflet d'un corps en bonne santé, en pleine forme, d'une excellente nutrition et d'une attitude mentale positive.

Encore une fois, *l'essentiel est invisible pour les yeux, on ne voit bien qu'avec les yeux du coeur.* « L'habit ne fait pas le moine» . . .

PEUR DE LA FAILLITE OU DE LA RÉUSSITE
PEUR DU REJET OU DU REFUS

Il y a une autre sorte de peur, très insidieuse et très répandue dans notre société, soit celle de la faillite, de manquer son coup.

Elle est latente dans notre société, beaucoup plus que l'on pense. Elle peut se retrouver dès le jeune âge, en classe ou dans une petite équipe sportive.

Les psychologues s'entendent pour dire que la peur de l'échec, de la faillite, est la résultante d'une image plutôt négative de soi. On a tendance à se comparer désavantageusement à d'autres, à se sous-estimer et à surestimer les autres.

La peur d'essayer empêche l'individu d'avoir, ou même de tenter de se développer. Elle paralyse son esprit d'aventure. L'esprit rigide, «constipé», pris de peurs subtiles, empêche d'apprendre du nouveau ou d'essayer. L'enfant libre essaie tout; il est sans peur.

Si seulement tous ces gens savaient que ceux qui ont réussi l'ont fait au prix de nombreux efforts, grâce à une persévérance assidue! Ils ont eu une confiance inébranlable en eux et en leurs rêves. Ils avaient surtout une image positive d'eux. L'enfant d'un an n'a pas peur de tomber et de retomber. Il se relève toujours.

Si seulement les gens comprenaient que le succès de ceux qu'ils observent et qu'ils jugent chanceux est le résultat de nombreuses erreurs, de nombreux essais, de nombreux échecs et qu'ils se sont toujours relevés!

Les gens à succès ont appris de leurs erreurs avant de devenir aussi compétents. Ils avaient un ingrédient essentiel pour tout succès: la confiance inébranlable en eux (10/10) et une image positive de soi.

La peur de la non-réussite provient d'une image négative de soi, d'un manque d'amour ou de confiance en soi.

LE MEILLEUR TRAITEMENT OU LE MEILLEUR MÉDICAMENT CONTRE LES PEURS, C'EST L'ACTION

L'antidote contre les peurs, c'est une action créatrice ou constructive. L'activité fait appel à une capacité de décider et de se faire confiance, et au courage (coeur) ou à la capacité d'amour de soi. Le courage nous aide à faire face aux peurs, aux difficultés. Il provient de l'amour. C'est ça avoir du coeur . . .

L'activité ou l'action en elle-même ne peut pas être suffisante pour éliminer les peurs une fois qu'elles sont profondément enracinées. C'est ainsi que la réflexion profonde ou la méditation entrent en ligne de compte.

Fréquemment, une ou deux fois par jour, on devrait se recueillir, devenir des témoins, des observateurs, s'écouter, faire un bilan de nos peurs et surtout de celles qui sont difficiles. Souvent, à la suite d'un tel bilan, beaucoup d'entre elles disparaissent ou s'évaporent hors de notre imagination comme la brume du matin.

Elles vont disparaître lorsqu'une décision sera prise d'agir maintenant plutôt que demain. La meilleure façon de se débarrasser de ses peurs, c'est d'arrêter d'y penser et d'agir plutôt que de se faire d'autres peurs en y pensant davantage.

Il s'agit de mettre de côté notre intellectualisme ou notre rationalisation et d'y mettre de l'action, du courage, du coeur, de la confiance en soi, de l'amour de soi. Il s'agit de se définir dans l'action.

Une autre technique très importante et efficace pour faire face à ses peurs, c'est de se reprogrammer en se servant de l'autohypnose, de l'autosuggestion. L'autohypnose est une *technique d'autosuggestion bien précise en vue d'influencer et de donner à notre subconscient des messages positifs lorsqu'on est dans un état de détente profonde ou de réceptivité.* C'est une autre forme d'action.

En submergeant ou neutralisant les messages négatifs qui sont enfouis dans notre subconscient depuis de nombreuses années, cette technique implique une autoreprogrammation fort importante pour tout individu qui décide de se prendre en main. Elle est simple; elle exige une volonté de se reprogrammer en peu de temps, avec de la répétition (quinze minutes, matin et soir, pendant vingt à trente jours).

On peut choisir de se reprogrammer plus positivement en se donnant des messages positifs et en étant son premier éducateur, son propre parent. S'éduquer implique une conduite intérieure, être responsable de soi, être automotivé, autoresponsable. « *Tout homme reçoit deux sortes d'éducation. L'une qui lui est donnée par autrui et l'autre, beaucoup plus importante, qu'il se donne lui-même.* »[1]

Qu'attends-tu pour sortir de ta torpeur, de ton ignorance, de ta passivité? Qu'attends-tu pour agir?

C'est l'heure de se réveiller . . . de devenir plus conscient de ses responsabilités envers soi et les autres . . . C'est l'heure du réveil rural! C'est l'heure de sortir de sa torpeur, de son « moutonnisme », de sa drogue, de sa routine, de sa passivité.

Il est l'heure d'arriver non pas à l'âge de la raison (18 ans) mais bien à l'âge de son coeur, de bien s'aimer avec toutes les obligations ou exigences que cela comporte, entre autres celle d'être responsable de soi à part entière, incluant sa propre éducation/reprogrammation mentale et sa croissance personnelle (psychique ou spirituelle).

1. Gustave Thibon, **L'échelle de Jacob.**

LA PEUR, C'EST LE REFUS DE CROIRE . . . DE CROIRE EN SOI, AUX AUTRES, EN L'AVENIR, AU CRÉATEUR, À LA VIE . . .

La peur, c'est l'absence de la lumière et de l'énergie. C'est la négation de l'amour, du vrai, du beau, de tout ce qui est positif, énergisant.

La peur, c'est dire non à soi-même, aux autres, à son environnement, au Créateur, à la Vie . . . C'est le refus d'aimer et d'apprendre. *C'est le seul péché véritable.*

Plus je pense et plus j'entretiens ces images négatives sur l'écran de ma conscience ou de mon esprit conscient, plus je refuse de changer mes idées négatives ou mes croyances au niveau de mon subconscient, plus j'ai peur et plus je demeure négatif, sceptique, douteux, envers moi-même, les autres, mon environnement, le Créateur et la Vie . . .

Plus j'insiste pour garder mes idées négatives (mes pensées et mon manque de croyance, mon scepticisme et mes doutes), plus je m'amortis, plus je vis au ralenti et toujours fatigué . . .

Plus j'insiste pour avoir raison et ne pas vouloir changer mes attitudes, plus je deviens prisonnier de mon esprit négatif et malheureux. Je crée mon propre malheur, ma pauvreté, ma maladie et mon malaise. Je suis mon propre geôlier . . . Je suis prisonnier de mes peurs . . . de ma programmation négative.

TU ES NÉ GAGNANT

Tu n'es pas né pour perdre mais pour te battre, vaincre et gagner. Car, dès avant ta naissance, à ta conception, tu étais un gagnant puisque tu étais le plus fort parmi des millions de spermatozoïdes.

Quel est ton choix de programmation? T'es-tu choisi par erreur un programme basé sur des peurs qui t'emprisonnent?

Ne préférerais-tu pas un programme basé sur l'amour menant vers le succès, ouvert à la croissance, à l'énergie, à la paix, à la satisfaction, au bonheur et même à l'excitation?

Quel est ton choix? Tu veux être un perdant? un fatigué? un aimant? un gagnant? Quel est ton choix? Il est entre tes mains. Il n'appartient qu'à toi. Cesse de blâmer les autres. C'est entre tes mains.

Tout tourne autour de ton attitude vis-à-vis de toi, de ton image personnelle, des autres, du monde. Si ton image est négative, comme pour la plupart des gens, tu seras comme eux, souvent fatigué et tu auras peu d'énergie. En ayant une image positive de toi, tu seras alors aimable envers toi-même, envers les autres, et tu gagneras le match de la vie.

C'est entre tes mains . . . C'est à toi de te reprogrammer, de mettre dans ton subconscient assez de messages positifs pour devenir positif, aimant et gagnant.

Ton esprit subconscient fait partie de ce champ électromagnétique, de ce corps énergétique subtil. Ce double peut être chargé plus positivement, petit à petit, avec ta coopération, ton choix.

Plus tu auras de charges positives ou d'idées positives dans ton subconscient, plus tu deviendras réellement fort. Selon cette loi universelle d'affinité, tu attireras vers toi des gens, de bons amis, des occasions de succès. Il s'agit de reconnaître et de se servir de cette loi d'affinité, tout comme la loi de la gravité. Claude Bristol la décrit très bien dans son volume **TNT, The Power Within You**.

Rappelle-toi que la douleur, la solitude, les difficultés, les problèmes, les défis et les rejets sont autant de cadeaux ou d'occasions de grandir pour toi.

Tu es toujours responsable de ta réaction, de ta programmation dans ta liberté d'accepter ou de refuser les messages positifs ou négatifs qui arrivent à ton esprit conscient avant de les faire pénétrer dans ton esprit subconscient.

Tu es toujours responsable de tout ce qui t'arrive, hier, aujourd'hui ou demain. C'est difficile d'accepter une telle responsabilité, mais c'est cela devenir adulte et cesser de blâmer les autres. Dès le jeune âge, tu as commencé à prendre tes responsabilités sur ta vie en refusant de manger tout ce que tes parents t'offraient.

Es-tu satisfait de ta vie? Es-tu satisfait de toi-même? Si tu ne l'es pas, il est grand temps que tu y mettes du coeur plutôt que des excuses, que tu laisses tomber tes peurs, que tu regardes en profondeur ton programme de peur afin de le changer ou de le convertir en un programme d'amour.

Il est grand temps que tu apprennes à aimer, à t'aimer sans condition, sans tricherie avec toi-même . . .

LA VIE EST UN COMBAT ET UN SCÉNARIO

LE PAUVRE, LE PEUREUX

Mes parents étaient passablement pauvres. Nous demeurions sur une ferme déserte, près d'une forêt dense, loin des voisins et à plusieurs milles de la petite ville voisine. Il y avait une abondance de maringouins, de travail, de neige . . . et de solitude.

J'étais l'aîné de sept enfants. Ma jeune soeur est née lorsque j'avais 14 ans. J'allais devenir officiellement assez tôt le gardien et la femme de ménage. Ainsi, j'apprenais à être responsable des autres, j'étais programmé à être un «caretaker», un gardien, un protecteur.

À plusieurs reprises, je me suis senti triste, seul, esclave du travail, pas libre de jouer . . . Pourtant, nous avons joué fréquemment et surtout nous nous sommes souvent battus, amicalement. Il y avait trois garçons qui me suivaient d'assez près en âge. Il va sans dire que nous avions souvent des escarmouches durant nos temps libres.

Après la classe et au cours des fins de semaine, de nombreuses heures de liberté étaient consacrées à laver le linge avec une machine manuelle. Pendant des heures innombrables nous devenions la force motrice de cette infâme machine à laver.

Nous étions aussi le moteur d'un appareil à fabriquer le pain qui devait être brassé pour en obtenir la pâte.

Grâce à l'électricité et à l'ingéniosité de mon père, j'ai ressenti une véritable libération d'un esclavage lorsque les moteurs électriques ont fait leur apparition. C'est ainsi que ma première lutte fut celle de la pauvreté, comme ce fut le cas de nombreux autres autour de nous.

Par la suite, j'ai dû lutter, à cause de mes trois frères, pour me tenir debout sur le tapis. Je me souviens des nombreuses luttes amicales à trois contre un, où je devais déployer beaucoup d'efforts pour rester debout alors qu'un premier me tirait une jambe, le deuxième une autre et que le troisième venait m'attaquer par derrière.

C'était beaucoup de plaisir gratuit. Il va sans dire que c'était la seule façon de s'amuser puisque nous n'avions pas de télévision, pas d'amis ni voisins rapprochés.

Mes parents ont dû lutter beaucoup, eux aussi. Pour aller au travail, au moulin à bois, mon père devait chausser des raquettes et marcher sur une distance de six milles dans la neige, braver le froid et les tempêtes, matin et soir.

Ma mère (adoptive) devait elle aussi lutter continuellement pour subvenir aux besoins d'une famille avec un faible budget.

Pour bien nourrir toutes les bouches, il s'agissait souvent d'ajouter un peu d'eau à la soupe et plus de patates à la sauce, de faire plus de pouding-chômeur, de pâtés aux patates, de galettes au gruau et au beurre d'arachide, avec une ingéniosité et une créativité exceptionnelles.

Assez tôt dans mon enfance, j'ai appris que la vie était une lutte et non un lit de roses.

Après l'école élémentaire, je suis entré en pension au collège. L'enseignement était donné essentiellement par des prêtres. Là, j'ai pu réussir une compétition intellectuelle, car j'avais de la facilité à apprendre et le goût d'apprendre. J'aimais étudier, mais j'étais très gêné, seul et peu orienté vers les sports. J'aimais la marche, les randonnées, la marche, la marche, encore la marche . . . J'ai appris à nager après 20 ans. J'ai chaussé ma première paire de patins dès que j'ai pu me permettre d'en acheter, soit vers l'âge de 15 ans.

Je n'ai pas de reproche à faire à mes parents même si la programmation que nous avons reçue n'était pas aussi positive ou formidable qu'elle aurait pu l'être.

Avec la meilleure intention, ils ont passé à leurs enfants les messages qu'ils avaient reçus de leurs parents et des ecclésiastiques. Ils les croyaient valables pour nous, tout comme les autres parents de la terre l'avaient fait au cours des générations précédentes.

Il n'en tient qu'à nous de nettoyer le jardin de notre esprit, de le cultiver, de l'émonder ou de le reprogrammer lorsqu'on reconnaît le négatif et ce qui n'est pas valable pour nous. C'est entre nos mains . . . Il n'en tient qu'à nous de garder ce qui est positif et de laisser aller ce qui nous encombre et nous empêche d'aller de l'avant ou de nous développer . . . En effet, c'est entre nos mains. Nous sommes toujours responsables de notre programmation actuelle.

Tôt dans mon existence, j'ai attrapé le virus de la peur, tout comme beaucoup de gens et d'enfants attrapent l'influenza, la rougeole et autres maladies infectieuses. *La peur est une maladie très répandue à travers le monde et très contagieuse dans les familles et dans la société.*

Ma mère avait une tuberculose miliaire, ou avancée, lorsque je suis né. Elle est décédée alors que j'avais à peine six mois.

Ma peur d'être laissé seul (la peur de mourir si on ne prenait pas soin de moi, le sentiment d'être pris dans les bras d'une personne rigide et d'être tamponné par des mains froides et tremblantes) s'est ancrée profondément dans mon subconscient.

Cette peur est restée cachée pendant de nombreuses années, à l'insu de ma conscience, jusqu'au jour où j'ai sorti ce sentiment au cours d'une période intensive de gestalt (à Esalen).

J'ai reconnu et compris très clairement que je retenais, que je ne laissais pas aller les gens autour de moi, que je retenais cette mère inconsciemment même si elle était disparue de ma vie depuis l'âge de six mois.

Émotivement, je n'avais pas terminé mes affaires avec elle et je ressentais encore en profondeur de l'agressivité, et même un reproche de m'avoir abandonné, car elle était ma mère. Dans ma tête d'enfant, j'avais été abandonné à ce moment-là.

Au fur et à mesure que je suis devenu conscient de ces peurs d'être abandonné et de mourir, j'ai appris à laisser aller cette agressivité et cette frustration profonde envers les humains.

J'ai eu des tantes, des oncles, un père, un grand-père et une grand-mère adoptive qui m'ont donné de l'affection . . .

Mais ma mère, ma vraie mère, où était-elle? Pourquoi m'avait-elle abandonné? Je me suis posé ces questions dans ma tête d'enfant; elles sont demeurées sans réponse pendant très longtemps . . . Le premier et le seul souvenir que j'ai de ma grand-mère est froid, très froid . . . C'était une femme rigide, pour ne pas dire frigide, grande, mince, maigre, desséchée, les doigts longs, raides et froids, plus habiles à filer la laine qu'à caresser une peau d'enfant.

C'était une bonne fileuse de laine, mais une moins bonne mère, pas très chaude ni aimable comme personne humaine. On me dit qu'elle était rigide mentalement, qu'elle était obstineuse, entêtée . . . Une fileuse et une obstineuse . . .

Aussi n'est-il pas surprenant que le seul souvenir que j'aie d'elle soit celui de son enterrement . . . Je revois clairement la scène au cimetière. La tombe est au-dessus de la fosse; on la descend au ras de la terre; on recouvre la tombe d'une couverture vert foncé, couleur merde-de-vache (la même couleur d'un pantalon que ma femme insistera pour porter, plus tard, et pour lequel j'aurai une forte réaction négative de dédain).

Une fois la maudite couverture en place, on lance quelques petites pelletées de terre sur la tombe et ça sonne creux, le vide . . . C'est froid; il y a peu d'amour; ça donne des frissons . . .

Le souvenir n'est pas très intéressant, mais il est très vif . . . Ça donne encore des frissons aujourd'hui. Pas surprenant que j'aie supprimé ou fait disparaître de mon esprit conscient tous les souvenirs touchant cette personne.

Si la vie n'est pas toujours rose et qu'il y a des épines à toute rose, il y avait de belles tomates de l'autre côté de la clôture, chez la voisine, qui m'ont fasciné à plusieurs reprises.

En effet, j'ai un souvenir très clair, très fort, de belles grosses tomates de l'autre côté de la clôture, et je me rappelle m'être passé la main afin d'en cueillir quelques-unes . . . Ce n'était pas toujours à mon avantage.

Dernièrement, je suis retourné à l'endroit précis où se trouvait cette fameuse clôture et j'ai senti une joie profonde m'envahir. Je ressentais la joie du petit garçon de 4 ans devant cette même clôture.

Il est intéressant de noter comment notre subconscient enregistre tout, pas seulement des idées ou des messages, mais aussi des sentiments, et que le tout peut remonter à la surface en fortes émotions avec un stimulus approprié.

Le processus de croissance implique de devenir conscient de toutes ces influences, soit positives ou négatives, du passé afin de pouvoir se libérer, d'utiliser ce qui est bon et de rejeter ce qui est mauvais.

Aussi, lors de ce pèlerinage à Sainte-Thérèse quelque 39 ans plus tard, je suis aller toucher, palper de nouveau cette maison où j'ai vécu les quatre premières années de ma vie. Lorsque j'ai touché aux carreaux usés, obliques, de papier de brique autrefois vert, une vive émotion m'a envahi le coeur. Mes yeux se sont remplis de larmes qui ont mouillé mes feuilles de travail, l'émotion m'empêchant d'aller plus loin . . .

Je me suis rapproché de la clôture où les belles tomates de la vosine étaient irrésistibles à une petite main d'enfant tendue pour les cueillir.

Lors de ce retour aux sources sur la rue Lambert, à Sainte-Thérèse, j'ai parlé à la fille de la jardinière et je lui ai confessé mes plaisirs d'enfant. Nous avons bien ri. J'ai eu l'impression d'avoir été pardonné d'avance par cette brave dame au grand coeur qui avait de si belles tomates auxquelles je ne pouvais résister. Quel merveilleux retour aux sources . . . quelle chaleur!

Heureusement, j'ai été entouré d'affection, de bonté, et gâté par un grand-père très aimable. Il y avait beaucoup d'amour et de chaleur dans cet homme. J'ai toujours eu une profonde affection pour cet humain. Je retrouve une photo jaunie de mes quatre ans, où je pose fièrement, un genou sur la brouette que j'avais fabriquée de mes mains.

Ce grand-père devait disparaître de ma vie, quitter la maison, retourner dans un hospice à quelque six cents milles de moi, pour les huit années suivantes. Mais le souvenir de son amour gratuit m'a profondément marqué et, pendant longtemps, j'ai gardé l'envie de le revoir. Je suis heureux d'avoir rencontré cette personne qui m'aimait gratuitement, profondément, sans condition. Cela fait chaud au coeur . . .

Je ne peux pas dire que j'aie eu une enfance malheureuse, mais je garde un sentiment profond de tristesse et d'isolement durant mes premières années à l'école primaire. J'ai reçu beaucoup de messages négatifs ou de réprimandes au sujet de mon apparente stupidité ou de ma lenteur à apprendre. La peur bloquait mon apprentissage. À de nombreuses reprises, je me suis fait dire que j'étais stupide et que je n'apprendrais jamais. J'ai retenu ces messages pour plus tard, non pas dans mon sac d'écolier mais dans mon subconscient.

J'ai vraiment appris à avoir peur et, plus tard, le même sentiment est revenu lorsque je me tenais debout devant une classe. Je devenais complètement paralysé par la peur, je me sentais vide et incapable de penser, je rougissais, je tremblais comme une feuille. Je faisais le stupide, j'avais l'air stupide et, au fond de moi-même, j'étais terriblement seul et triste.

S'il y eut des moments difficiles et une disette de toutous chaleureux ou d'appréciation, il reste que j'ai été entouré de quelques professeurs particulièrement chaleureux à mon égard.

Certains ont été pour moi une source d'affection et de confort. Je pense entre autres à deux institutrices, Marguerite Bourgeois et Lucille D'Amours. Je pense à un Jésuite qui a su m'écouter et à mon aumônier spirituel qui, sous sa cuirasse d'homme dur, manifestait une grande affection dans son regard et dans son sourire moqueur.

Plus tard dans ma vie, je suis devenu conscient de ces peurs inculquées dans mon subconscient. Quand je devais me tenir debout devant une classe ou faire face à des gens, je me sentais inférieur parce que j'avais une image négative de moi et que j'étais paralysé de peurs. J'avais de la difficulté à parler aux gens. Je me sentais terriblement seul, honteux et paralysé.

L'ignorance est une source de peur chez les humains. À cause d'un manque d'éducation sexuelle formelle, autant à la maison qu'à l'école, j'ai entretenu dans mon esprit, pendant mon adolescence, toutes sortes de doutes et de peurs au sujet de mon identité et de celle des autres.

Il est difficile d'apprendre à s'aimer et à aimer les autres lorsque les messages environnants sont absents ou négatifs. Il est difficile de s'aimer ou d'avoir confiance en soi lorsqu'on ne se connaît pas ou qu'on ignore l'origine des sources d'énergie de notre corps.

Il est difficile de s'aimer et d'avoir confiance en soi lorsqu'on reçoit plus de désapprobation et de critiques que d'approbation et d'encouragement. Il est plus facile de croire que l'on est stupide que brillant ou que l'on soit capable de devenir un gagnant, surtout lorsque le milieu environnant est un monde de pauvreté.

Lorsque je travaillais dans un poste d'essence l'été, je servais fréquemment des touristes américains et j'étais subjugué par ces belles Continental et ces remorques Air Stream ainsi que par les rouleaux d'argent que l'on sortait de ces poches américaines, car il n'y avait pas de cartes de crédit à ce moment-là. De plus, ces gens avaient l'air heureux. Ils riaient, avaient l'apparence de la vie facile, certainement plus excitante que la nôtre (même si leur vie de touristes n'était pas toujours leur réalité quotidienne).

À mes yeux, le succès et la richesse étaient passablement impressionnants, même si je n'en étais pas convaincu. Je ne croyais pas que ce fût possible pour moi. J'étais un douteux, un négatif.

À plusieurs reprises, j'avais entendu mon père dire: « Quand on est né pour un petit pain, ce n'est pas la peine d'aller en chercher un gros. » Aussi étais-je gêné de regarder le gros pain même s'il avait l'air bon et appétissant.

Plus tard, ces mêmes messages négatifs m'ont été répétés lorsque j'ai voulu monter au sommet de la médecine. En revanche, j'ai décidé d'y aller . . . C'était le rêve de ma jeunesse . . .

J'avais eu un bon entraînement physique en voyageant six milles de route non pavée, matin et soir, après avoir donné dix heures de travail à 1,00 $ l'heure. J'avais de la discipline au travail. Je n'avais pas peur de travailler, de persister . . . J'étais tenace, entêté même . . . genre bulldog.

Même si la peur n'est pas un bon stimulus, le soir dans l'obscurité, la mienne me donnait des ailes pour retourner à la maison. De cette façon, je me suis développé une bonne paire de quadriceps et des muscles aux jambes.

Au collège, j'ai eu à lutter contre mes peurs, surtout la gêne et l'orgueil, ces deux menteurs. Je ne pouvais pas me tenir debout face aux autres et parler de façon cohérente. J'étais bloqué, j'étouffais, je faisais un fou de moi, je devenais rouge. Je jouais mon programme, mon scénario de stupide. Ainsi, la peur a été pour moi une source de programmation négative dès mes débuts à l'école primaire, et elle s'est perpétuée à l'école secondaire.

À l'âge de 18 ans, un professeur m'a donné une bonne tape sur mon orgueil en me disant devant de nombreux confrères: «Bernard, tu es un orgueilleux!» Quelle insulte! J'ai eu de la difficulté à avaler ça, mais j'ai finalement accepté cette vérité même si elle faisait mal. Ce message très fort m'a beaucoup servi car j'ai toujours essayé de garder ma tasse à demi-remplie et l'esprit ouvert. Cette attitude a grandement favorisé mon développement personnel. J'ai pu apprendre des autres, même des plus démunis, des plus jeunes ou des plus faibles que moi.

Entre temps, je réussissais bien dans mes études, je remportais des bourses et je gagnais assez d'argent pour me permettre de boucler mon budget.

Essentiellement, depuis l'âge de 15 ans, j'étais devenu financièrement indépendant et responsable de moi-même, grâce à un maigre salaire d'été et des bourses provenant de l'évêque, des Chevaliers de Colomb et des amis du collège.

Mon goût pour les études, ma capacité d'apprendre, ma persévérance et ma discipline devaient être pour moi une bouée de sauvetage tout autant qu'une source sûre d'approbation et d'appréciation (*positive strokes* ou toutous chaleureux).

Plus tard, vers l'âge de 19 ans, j'ai eu une amie que j'ai aimée véritablement mais sans passion. Elle essaya de me persuader de quitter l'école. À maintes reprises, elle m'apportait des friandises et nous échangions autre chose que des friandises au parloir, à l'insu des surveillants qui avaient l'oeil vif et le regard parfois menaçant. (Là aussi, au collège, il y avait un régime de peur.) Je remplaçais son frère au parloir et nous avions des échanges fort chaleureux. Mais déjà, l'esprit allait dominer ma vie et je devais choisir le travail intellectuel et poursuivre mes études.

Il me fut difficile de repousser cette belle blonde aimable avec laquelle j'avais beaucoup d'affinités. Je devais choisir le chemin de l'invasion de l'esprit, ou un entraînement intellectuel, plutôt que la voie du coeur.

Le chemin vers le succès était ardu. En plus des longues heures d'étude, il y avait les soucis financiers. Est-ce que je pourrais continuer après le premier trimestre? En novembre de la deuxième année en médecine, j'écrivais au doyen de la Faculté pour lui indiquer ma situation financière précaire. C'est ainsi qu'un oncle et une tante bien aimables, et un jeune chirurgien récemment opéré pour une hernie, me sont venus en aide. La passe était difficile, mais la route vers le sommet était débloquée.

Cet entraînement intellectuel devait m'amener vers la médecine. Ce n'est que plus tard, vers l'âge de 35 ans, que j'ai regardé en arrière afin d'explorer un autre chemin, celui du coeur.

À l'âge de 25 ans, j'avais beaucoup de peurs qui dormaient dans mon subconscient. Ces peurs ou ces énergies négatives accumulées ont contribué au développement d'un désordre psychosomatique tel que l'hyperacidité créant un ulcère duodénal. J'ai dû apprendre à guérir cet ulcère et ne jamais en développer d'autres.

Il est intéressant de noter que la même sorte de programmation avait apporté des résultats semblables chez des proches. Le corps est le miroir de nos pensées et de notre esprit, comme le proclame James Allen, éminent psychologue américain: «Nous sommes nos pensées. Nous devenons ce que nous pensons.»

Tout ce stress devait causer un désordre gastro-intestinal volontairement. Sans m'en rendre compte, inconsciemment, des énergies négatives s'étaient accumulées dans mon système et allaient se manifester selon un patron génétique familial prédéterminé.

Je suis parti en très bas âge, j'ai pataugé pendant de longues années jusqu'à l'âge de 35 ans, sans trop savoir ni pourquoi ni comment . . . sans trop comprendre le succès.

À partir de l'âge de 15 ans jusqu'à 35 ans, soit pendant vingt ans, j'ai joué mon scénario de peur. J'avais des ornières, je n'avais pas de modèle de succès. Je manquais constamment de confiance en moi, j'en étais à peine conscient.

C'est ainsi que j'ai frôlé le succès pendant de nombreuses années sans jamais vraiment l'atteindre. Il me manquait l'amour de moi-même, la confiance en moi ou une image positive de moi-même. « Sans l'amour, je ne suis rien. » (Saint Paul).

LE PROTECTEUR, LE GARDIEN

J'avais été programmé pour être le gardien de mes frères, le protecteur d'une femme et de mes enfants, le guérisseur des malades. Je devais prendre soin de tout le monde autour de moi à l'exception de moi-même.

Je me sentais très responsable de la famille, du fait de prendre soin de mes enfants et de ma femme. Je me suis préoccupé d'organiser une maison très confortable. J'ai ajouté moi-même une couche supplémentaire de styro-mousse isolante durant la construction de ma première maison.

Je me suis occupé à obtenir . . . une deuxième voiture et j'ai encouragé ma femme à apprendre à conduire, car il commençait à y avoir plusieurs petits dans la traîne sauvage (deux marmots et un troisième qui s'annonçait prochainement).

Je me suis senti responsable de la vie, non seulement de la faire ressurgir mais de la protéger, de la mettre bien au chaud. J'ai donc pris mon rôle au sérieux. J'ai vraiment joué mon scénario, suivi ma programmation initiale.

Mais, secrètement, en mon for intérieur, j'étais un dépendant, un passif, aspirant à être beaucoup aimé et dorloté.

Inconsciemment, je devais choisir une compagne de vie semblable à moi. Je devais prendre pour épouse une jeune fille passive, dépendante, soumise, et ce rite de passage ou ce transfert de nos dépendances devait être scellé par une cérémonie religieuse, simple mais à odeur de Cendrillon.

J'avais été programmé pour être le protecteur, le preneur en charge, ce que je fis sérieusement. J'ai été responsable, j'ai contrôlé, j'ai mené, j'ai été exigeant pour moi et pour les autres autour de moi, j'ai critiqué, j'ai analysé beaucoup trop.

Elle était soumise, plus victime de ses peurs, d'apparence extérieure douce, timide, gentille, et cachait bien derrière un masque de colorant et d'agitation ses très nombreuses peurs. Elle aussi était très entêtée, insistant davantage pour avoir raison plutôt que d'être heureuse.

Ce n'est pas en s'analysant, en se comparant ou en essayant de comprendre l'autre, avec la tête, que l'on trouve le bonheur. On ne voit vraiment bien qu'avec le coeur et non avec le jugement ou la tête.

J'étais différent d'un autre médecin. Je ne voulais pas être l'autre. Une partie de moi était émotive, l'autre physique. Pour mieux me comprendre, on doit me sentir, expérimenter avec ses sens et moins comprendre avec la tête.

Nous avions une parfaite relation symbiotique, prédéterminée à l'écueil, à l'échec. Tous deux, nous nous sommes bousculés sans merci dans notre obscurité. Nous nous sommes entêtés beaucoup trop souvent et nos coeurs et nos corps se sont séparés graduellement. En de nombreuses occasions, nous nous sommes donné des maux de tête plutôt que du bonheur. Nous ne savions pas mieux ... Nous ne connaissions rien de mieux.

Notre maison était confortable, chaude et nous étions financièrement à l'aise. Mais il nous manquait l'essentiel. Il nous manquait l'amour véritable. « L'essentiel est invisible pour les yeux, on ne voit bien qu'avec les yeux du coeur. » (Saint-Exupéry)

J'étais marié à une personne semblable à moi. J'avais peur, elle avait peur. Comme elle, j'avais peur de prendre soin de moi. Comme le dit la chanson: « Pour vivre ensemble, il faut savoir aimer. » Pour vivre ensemble, il faut être des amants la nuit, des amis le jour, c'est-à-dire qu'il faut vivre beaucoup plus avec le coeur qu'avec la tête. Il faut donner beaucoup plus que juger. Il faut sentir une présence chaude et obtenir une satisfaction sensuelle. Sinon on est frustré.

Quand on a peur, on se tend, on se raidit, on s'empêche de ressentir. Même les doigts sont raides, sans vie, sans chaleur, sans amour.

Cette peur se traduit dans notre toucher et engendre un malaise ainsi que d'autres peurs, ou même de l'agressivité quand ces touchers ne sont plus plaisants. Si on le dit à l'autre, cela engendre d'autres peurs et d'autres doutes dans son esprit et d'autres doutes au sujet de son image.

Quand on se tend, il est difficile de ressentir, de donner de l'amour et d'en recevoir. Tôt ou tard, cela engendre de la culpabilité, autre forme subtile de peur.

La rigidité du corps et la rigidité de l'esprit vont de pair. Nous avons eu de nombreux entêtements, de nombreuses discussions, ou idées, et les mots servent de compétition (joute verbale) plutôt que d'échange entre deux conjoints.

C'est ainsi que commence l'aliénation entre deux individus, celle des corps, ensuite des sentiments au niveau du coeur. Si l'on insiste pour avoir raison au niveau des idées, tôt au tard, l'aliénation des esprits s'ajoutera à celle des corps et des coeurs.

La solitude à deux est très douloureuse, difficile, pire que la solitude seul. Aussi la proximité dans l'intimité engendre-t-elle beaucoup de tensions, même le mépris et de l'agressivité.

Ainsi, dans un mariage, deux individus peuvent être terriblement seuls. On peut être très seul à deux ou seul tout seul. Il vaut mieux être seul afin de rencontrer ses besoins, de s'assurer la paix et la tranquillité, que d'être seul émotivement, de n'être pas assez aimé et compris, de ne pas avoir d'environnement de paix et de tranquillité.

Par contre, on doit assumer une solitude toute notre vie. On naît seul, mais on choisit de vivre seul ou avec d'autres, puis on meurt seul.

L'intimité ou l'amour véritable vient combler notre besoin d'harmonie, de «non-solitude», de partager, de donner, mais ce besoin peut être sublimé, agrandi, transformé en un don de soi à plusieurs autres au lieu d'une personne. C'est le cas des nombreux religieux et laïques missionnaires, dévoués à aider leurs semblables.

Pendant de nombreuses années, je me suis senti seul, un protecteur de la famille, un père, mais non un amant. La séparation physique devait se faire. Elle était absolument nécessaire afin de déblayer la route et de permettre l'épanouissement personnel de nous deux. Sinon, il s'agissait d'une détérioration ou d'une mort lente pour les deux.

Le passage fut rapide, amical et planifié afin de réduire les frictions au minimum. Nous avons décidé d'organiser une séparation légale à l'amiable sans dispute légale. Il fallait laisser aller, ne plus contrôler, ne plus insister pour avoir raison.

Les grands enfants devaient apprendre eux aussi à laisser aller, à laisser vivre, à respecter leurs parents, à essayer de les regarder avec le coeur plutôt qu'avec un esprit critique. Ce n'était pas facile, mais ils ont été très compréhensifs, très bons.

Laisser tomber des masques et faire face au barrage des critiques des parents et amis, cela prend du courage et beaucoup d'amour de soi . . .

Toute séparation douloureuse fait peur. Tout humain doit apprendre à laisser aller. Tôt ou tard dans sa vie, et le plus tôt sera le mieux . . . Il ne faut pas empêcher l'eau de couler sous les ponts . . .

LE GUÉRISSEUR

Après 10 ans de pratique privée, en cabinet de consultation et en milieu hospitalier, je me rendais de plus en plus compte de la futilité de prescrire des sédatifs à des gens amortis et des antidépresseurs à des gens dégonflés comme des ballons que l'on doit continuellement remplir d'air pour les faire voler.

Pourquoi les amortir davantage, les rendre calmes? La véritable médecine devrait les rendre plus vivants, combatifs et forts, plutôt que de les amortir.

À longue échéance, je ne leur rendais pas vraiment un grand service. Je les calmais, je les rendais plus ou moins bien, mais plus endormis . . .

Je ne me sentais pas vraiment un médecin ou un guérisseur. Ce même dilemme se retrouve chez le psychiatre face à son malade, dans la pièce **Equus.**

Je les empêchais de grandir, de changer pour le mieux, de devenir plus humain, plus en vie. Je n'allumais pas leur flamme, je ne les motivais pas, car je ne savais pas comment. Au contraire, je les engourdissais davantage.

Je les engourdissais dans leur malaise, leur mal de vivre, leurs petites misères, au lieu de leur offrir des choix de vie meilleure et de leur donner le goût de s'améliorer. Leurs frustrations devant la vie et mon inaptitude à répondre à leurs besoins et leurs exigences me frustraient de plus en plus.

Je me devais de faire plus, de leur donner plus. Je me devais aussi de ne pas m'amortir ni m'installer dans cette routine bureaucratique et ces exigences professionnelles de toutes sortes.

Je devais prendre mon courage à deux mains, me secouer, ouvrir mes ailes bien grandes et m'envoler. Je devais aller me développer, relever d'autres défis, même si cela impliquait des risques.

Dix ans sur un tapis roulant, courant de plus en plus vite, c'était assez . . . Je devenais de plus en plus fatigué, essouflé, frustré . . .

Le gouvernement, par l'entremise de son agence d'assurance-maladie, contrôlait la vitesse et la hauteur du tapis roulant, en payant 90 %, puis 70 % de nos honoraires professionnels. Je devenais progressivement plus frustré par cette méthode de rémunération, cette rigidité bureaucratique et ces contraintes. Je devais trouver des solutions plutôt que de me soumettre à une forme d'esclavage, à un abrutissement.

J'avais besoin d'air pur. C'est à ce moment que la méditation est apparue dans ma vie et a apporté tout un changement, tout un ressourcement. J'ai commencé à écouter la voix intérieure, cette voix secrète de mes besoins et de mes rêves les plus intimes. J'ai écouté mon souffle vital, la respiration de mon âme (corps spirituel).

Apprendre à laisser aller, c'est la leçon la plus difficile de la vie que tout humain doit connaître tôt ou tard. Une fois qu'il a appris à faire cela, il commence à grandir et à vivre pleinement, à tout le moins à respirer à pleins poumons.

Mais pour commencer à grandir, à vivre et à s'épanouir, il faut y mettre du temps, du silence. Il faut réfléchir, méditer et s'arrêter . . . Il faut vivre sa Gestalt, faire le point sur soi-même.

La télévision, le travail, les activités de toutes sortes prédisposent à l'éparpillement, à la superficialité. Régulièrement, il faut se recueillir, retourner vers son centre intérieur, vers sa profondeur. Sinon, on risque un écartèlement, une dislocation.

Je devais apprendre à m'aimer, à me guérir de mes attitudes négatives et de mes peurs, avant d'aider les autres à guérir. Je devais aller apprendre à laisser aller davantage, à être moins en charge, à être moins contrôleur. Ce n'était pas facile . . .

Laisser aller, ça fait mal, très mal . . . Il fallait que je risque de changer, d'apprendre davantage et de relever d'autres défis. Il s'agissait de tout vendre, de prendre racine à six cents milles plus loin. Il s'agissait d'aller travailler dans une salle d'urgence encombrée avec des heures fixes qui me permettraient d'étudier la psychologie.

Je devais également risquer l'amour, l'amour de moi-même sans condition et l'amour des autres. Je devais aller me guérir afin de devenir un meilleur guérisseur . . .

Un oncle maternel, rencontré plus tard dans ma vie et pour lequel j'éprouve beaucoup d'affection, avait une fille de dix ans plus jeune que moi. Marielle m'a encouragé et m'a montré la route vers Jonathan en me disant: « Regarde ce film-là, tu vas apprécier cela, Bernard. »

Quelle découverte, quelle merveilleuse expérience! Lorsque j'ai visionné pour la première fois **Jonathan Livingston Seagull**, j'ai été vraiment touché par la beauté et la profondeur de ce thème. Je me suis reconnu ou j'ai reconnu le Jonathan en dedans de moi.

À partir de ce jour, j'ai décidé de l'exprimer, de l'extérioriser davantage, de ne plus garder cela caché au fond de moi.

À partir de ce jour, j'irais plus haut! J'irais par-dessus la montage, et l'autre, et l'autre . . . J'étais né pour lutter, pour vaincre . . . et j'étais déterminé à gagner!

LES ÉQUIVALENTS DU LÂCHER PRISE ET LEURS CONSÉQUENCES

- relâchement
- détente
- détachement
- abandon
- expiration
- mains ouvertes
- désengagement
- enlèvement
- libération, délivrance
- mettre de côté
- décortiquer
- délaissement
- pardon
- transcendance
- débarrer
- acceptation
- cession
- séparation
- divorce

- changement
- laisser faire
- laisser vivre
- tolérance
- patience
- croissance
- respiration
- amour
- flot, circulation
- mouvement
- fuite
- progrès
- énergie
- santé
- montée
- ascension
- marche avant
- paix, satisfaction, danse, jeu, liberté.

Le mouvement et le changement sont la clef de la vie. Même pour marcher ou pour monter un escalier, l'on doit apprendre à lâcher prise du sol afin de se propulser vers l'avant ou le haut et avancer ou monter.

C'est la loi la plus fondamentale de la vie, car la vie c'est de l'énergie, des vibrations en danse, en mouvement . . .

LAISSER ALLER, C'EST SE REPROGRAMMER

Si je ne suis pas satisfait de ma programmation initiale, celle que j'ai reçue de mes parents ou de ceux qui prenaient soin de moi, et décidément je ne l'étais pas, *alors il n'appartient qu'à moi de changer, de laisser tomber de vieilles idées, de vieilles valeurs et de prendre celles qui ont du sens pour moi.*

LAISSER ALLER, C'EST INVITER
UNE NOUVELLE VIE . . .

QUAND JE LAISSE ALLER
UNE IDÉE, UNE VALEUR,
UN CONCEPT,
QUELQUE CHOSE
DE NOUVEAU
VIENT PRENDRE
LA PLACE.

Il y a de nombreuses étapes à franchir avant de devenir pleinement humain, pleinement en vie, excité, pleinement conscient, pleinement vivant.

Le processus du changement, c'est la leçon la plus difficile pour tout être humain. Apprendre à laisser aller ses peurs de toutes sortes, ses contrôles, ses habitudes, ses routines, ça fait peur, ça fait mal.

D'ailleurs, si l'on examine de près les différentes étapes ou luttes de Jonathan, dans cette belle histoire de Jonathan le goéland, l'on remarque dans une première étape l'excitation en découvrant une nouvelle façon de faire: «Je l'ai fait! Je l'ai fait! Je peux voler plus haut, beaucoup plus haut!»

Ensuite, il y a une autre étape où l'on regarde à l'intérieur de soi-même, où l'on médite: «Il doit y avoir autre chose dans la vie que de voler autour des bateaux de pêcheurs. Je me demande jusqu'à quelle hauteur je peux voler! Nous ne sommes pas faits pour vivre de cette façon.»

La planche à voile est un excellent excercice de laisser aller. Il faut apprendre tantôt à laisser aller, tantôt à se cramponner plus fermement, car le vent est une plus grande force que nous.

Il faut apprendre à jouer avec le vent et accepter d'être contrôlé par lui ou les éléments. On doit demeurer flexible, tenir fermement et savoir donner. Ainsi, la vitesse de toutes choses se trouve dans le flot de toutes ces choses. Plus le vent est fort, plus il va vite et plus loin.

Les énergies du vent, des rivières, peuvent être harnachées, canalisées, contrôlées à notre avantage, mais elles ne peuvent jamais être bloquées ou arrêtées complètement. Ces énergies doivent couler.

Dans le domaine de l'électricité, on peut l'accumuler, la ralentir dans son flot, mais on ne peut vraiment pas l'empêcher ou la bloquer sans risquer un éclatement, une explosion.

LAISSER ALLER UN PEU . . .
RETENIR L'ESSENTIEL . . .

LAISSER ALLER, C'EST SAVOIR AIMER

Aimer, c'est se libérer de la peur. Ce livre écrit par le docteur Jampolsky, psychiatre, m'a énormément aidé à comprendre la polarité entre les deux émotions de base, l'amour et la peur.

Afin de devenir beaucoup plus aimable, je devais apprendre à m'ouvrir l'esprit, le coeur et les mains. *Si je voulais augmenter ma capacité d'aimer, je devais apprendre à laisser aller par-dessus bord beaucoup de mes idées négatives et mes peurs sous toutes leurs formes.*

De deux choses l'une: ou bien je traversais cette borne, cette frontière, ou je ne la traversais pas. On ne peut pas demeurer éternellement (à califourchon) sur la clôture . . .

Je devais tomber d'un côté ou de l'autre. Je passais mon temps à aller d'un bord à l'autre, sans demeurer en équilibre entre ces deux façons de vivre et sans vraiment prendre une décision.

J'avais trop d'images (idées) et de sentiments (croyances) négatifs envers moi-même et les autres. J'étais dominé indirectement par toutes sortes de peurs négatives. J'étais conscient que je pouvais faire mieux et plus. Il s'agissait d'apprendre à laisser aller . . . C'était un nouvel apprentissage, une nouvelle éducation.

LAISSER ALLER AFIN DE MIEUX AIMER

Le mariage, ou une union véritable en profondeur entre deux êtres avec un mental et un physique compatibles, fera toujours du sens pour de nombreux couples.

On ne doit jamais posséder un autre être ni l'empêcher de s'épanouir. S'il n'est pas heureux avec moi, ou moi avec lui, il faut se parler, négocier longuement, mais ne jamais compromettre son intégrité ou vivre dans le mensonge avec soi et son partenaire.

Trop de couples vivent encore dans le mensonge, la frustration, la solitude à deux, une proximité sans intimité qui ronge l'âme tel un cancer, et conduit à la haine, à la maladie, souvent fatale.

Il faut savoir donner un sens à sa vie, à son travail et surtout à ses relations interpersonnelles, c'est-à-dire conjoint et amoureux. Parfois, il est beaucoup plus adulte et sage de partir, de se séparer, se libérer, que de se laisser mourir à petit feu.

AIMER, C'EST SAVOIR PARDONNER

Laisser aller est l'essence du pardon. Beaucoup de religions l'enseignent, pas assez d'humains le pratiquent ou en comprennent la valeur psychologique de libération et les raisons médicales.

Plus je garde mes ressentiments, mes haines, plus je demeure négatif et plus je me fais mal, plus je fais mal aux autres ou plus j'ai le potentiel de faire du mal aux autres.

Au coeur des relations humaines, le pardon est primordial. Il ne peut y avoir de paix entre les humains, dans une famille, un couple, la société ou même le monde, sans une grande capacité de pardon.

Le pardon, c'est déjà de l'amour. Aimer, c'est pardonner. Pardonner, c'est aimer. Aimer, c'est laisser aller. Pardonner, c'est laisser aller.

Pour aimer il faut se débarrasser de son esprit critique, du goût et de l'habitude de juger, d'analyser, de critiquer toute personne ou toute chose.

Pour aimer, je dois pardonner à mon frère, tout pardonner . . . C'est la leçon la plus difficile que tout humain doit apprendre à faire en très bas âge, dans sa vie, au lieu d'attendre quinze minutes avant de mourir . . .

Peu importe le mal ou les torts encourus, au lieu de blâmer, je dois apprendre à pardonner sans condition et même oublier le plus possible. La haine, la rancoeur, l'agressivité refoulée rongent le coeur ou les os de l'homme qui les entretient. Toutes ces émotions négatives paralysent le système de défense et endocrinien et prédisposent au développement de l'arthrite, du diabète et du cancer du pancréas. La conscience précède toujours la matière, telle une cause à effet.

Il est important de noter que la religion catholique, comme beaucoup d'autres religions, a favorisé et reconnu le pardon comme une étape essentielle du développement de l'humain.

La confession est un autre exercice de laisser aller, d'oublier, de pardonner . . . à soi-même et aux autres . . .

Notre Père qui êtes aux cieux,
Que votre Nom soit sanctifié . . .
Pardonnez-nous nos offenses
Comme nous pardonnons
À ceux qui nous ont offensés,
Et délivrez-nous du mal,
Surtout du mal psychologique
Qu'est la peur.

Le refus d'aimer, c'est le seul véritable péché. Aimer est le premier et le plus grand commandement, la seule loi!

SE DÉPARTIR DES PRÉJUGÉS, DE LA HAINE . . .

Les haines, les jalousies, les souffrances, les heurts, les pleurs, les deuils, les séparations du passé, les blessures, les abus, les torts et les dommages causés volontairement ou involontairement par les autres, sont autant de chaînes qui gardent un individu à un niveau vibratoire, énergétique, dans le bas et l'empêchent d'atteindre une paix intérieure. Elles retiennent l'individu dans le passé et l'empêchent de vivre pleinement le moment présent. Il lui manque cette concentration et cette lucidité qui lui permettraient d'apprécier et célébrer le ici et maintenant. Son attention et ses émotions le retiennent en arrière.

Non seulement se prive-t-il du plaisir du moment présent, de la joie de vivre le présent car il est divisé en son for intérieur, mais toutes ses émotions négatives, surtout sa rancoeur, son agressivité et son aigreur, le rongent-elles intérieurement, un peu comme l'acide gastrique excessif.

C'est son système endocrinien qui va en payer le prix. Il y aura suppression de l'immunité ou de son système de défense. Il se prédispose au diabète, à l'arthrite et en particulier à l'impotence sous toutes ses formes, aux allergies de toutes sortes, aux infections et aux différents types de cancer. Chacune de ses glandes sera affectée de façon particulière par une émotion spécifique. Il s'agit d'apprécier l'étroite liaison entre le corps mental, le corps émotif et le corps physique. Notre chimie est altérée de seconde en seconde par la qualité de notre pensée. Ce n'est plus le secret de la médecine psychosomatique ni la connaissance ésotérique.

Si l'on veut guérir son corps physique, il faut apprendre à guérir ses attitudes ou habitudes de penser d'abord, de se départir de sa culpabilité, d'une image négative et fausse de soi, de la haine et de toutes les émotions négatives, comme les sept péchés capitaux: l'avarice, l'orgueil, l'envie, la colère, la jalousie, la calomnie, la médisance, etc.

C'est toujours soi-même que l'on blesse en blessant les autres . . . Écoute, petit homme ! . . . Ouvre l'esprit . . . Ouvre le coeur . . . Pardonne . . . Aime . . .

SE LIBÉRER DE L'INTELLECTUALISME

Il est important de contrôler son activité cérébrale, c'est-à-dire équilibrer les activités des deux hémisphères cérébraux.

À cause de notre système d'éducation, la majorité des humains ont développé leur mémoire et leur capacité de raisonnement, la logique (cerveau gauche). La télévision, les journaux, la radio, l'informatique, le placotage mondain et le téléphone contribuent grandement à nourrir un mental avide de faits, de statistiques et d'images succédanées afin de s'amuser, de se divertir et s'approvisionner de faits plus ou moins pertinents aux conflits du lendemain (arguments, tête-à-tête, réunions de comités, conflits de toutes sortes).

Il faut volontairement diminuer ou amenuiser l'influence de ces nombreuses vagues de l'information déferlant à longueur de journée sur l'écran de notre conscience (esprit conscient) et arrosant en abondance de données plutôt négatives le sol de notre subconscient. Afin de s'équilibrer, il faut se départir un peu de ces jeux de l'esprit (les douze mécanismes mentaux). Posséder un grade universitaire (m.d., b.a., ph.d., etc.) n'est pas toujours une garantie de succès et de bonheur dans la vie. Cela peut être davantage un handicap dans le processus de croissance personnelle.

L'activité cérébrale de type alpha – créativité, méditation, jeu, détente, rêverie, la plupart des arts – favorise un rééquilibrage essentiel au bonheur, à la santé, au plein épanouissement et aux bonnes relations interpersonnelles de l'humain. Il faut développer notre capacité d'imagerie mentale afin de créer notre propre réalité, nos images de santé parfaite, de prospérité, etc.

Il faut se départir de cette maladie de tout vouloir savoir avant d'agir, de tout comprendre le pourquoi des choses, de tout analyser: très beau jeu du mental afin de garder le contrôle et de paralyser, prévenir l'action, le changement, le mouvement . . .

Il faut se guérir de sa passivité intellectuelle. On ne pense pas par et pour soi-même. On laisse la télévision nous fournir des images et on répète ce que l'on entend au lieu de créer et de s'affirmer. L'homme moderne s'installe dans un « moutonnisme » abrutissant, amortissant . . .

SE LIBÉRER D'UN HÉRITAGE NÉGATIF

Aimer les gens aimables, c'est facile. Mais aimer ceux qui nous ont fait du tort individuellement ou collectivement dans le passé, c'est cela l'amour inconditionnel.

Nous ne sommes pas notre conduite. Il nous arrive parfois de ne pas nous conduire de façon exemplaire ou très charitable. Sans approuver la conduite cruelle d'un groupe ou l'autre dans le passé, animé par l'orgueil, l'ignorance ou des chefs politiques et religieux douteux, entêtés, eux-mêmes peu aimables et lucides, il faut apprendre à tourner la page de l'Histoire, sachant que chaque individu est responsable de toutes ses pensées et ses actions.

Sinon, on attise des conflits futurs en semant par notre pensée des graines de haine dans le coeur de la génération suivante. On récolte toujours ce que l'on a semé.

Si l'on veut la paix dans le monde, il faut la faire d'abord dans son coeur, pardonner et tout accepter de la vie, le beau et le moins beau de la réalité et de la conduite humaine.

Ce n'est pas en blâmant, jugeant, critiquant, que l'on se libère soi-même. On fait du mal en profondeur d'abord. Toutes nos pensées offensives nous attaquent les premiers. Nous sommes toujours les premières victimes de nos pensées offensives de par la dynamique psychosomatique, ou l'effet presque simultané de nos pensées sur notre état physiologique et biochimique.

Notre monde intérieur et notre planète ont grandement besoin de guérison. Ils souffrent assez. Saurons-nous contribuer à leur guérison en commençant par la nôtre au niveau de l'esprit conscient et subconscient? . . . Je l'espère.

OUVRIR LES MAINS À LA MORT . . . À LA VIE . . .

Mourir constitue la dernière étape de croissance, ou la dernière occasion de croître, d'apprendre à laisser aller.

Il est à espérer que l'on apprenne à lâcher prise tôt dans notre vie afin d'être plus heureux, d'en arriver à un niveau d'excellence et de développement personnels, de jouir pleinement de la vie.

Le médecin doit apprendre à laisser son patient; la famille, un parent, un enfant ou un ami; le mourant, ses amis. Le deuil est ce procédé par lequel on apprend à laisser aller. Le plus vite on fait le deuil, le plus vite on peut vivre pleinement sa vie, aimer et vivre . . .

La mort nous enseigne de nombreuses leçons:

1– l'art d'aimer et de vivre avec un minimum d'anxiété, de rigidité et de peur;
2– l'art d'être heureux, c'est-à-dire en paix avec soi-même (unité et équilibre);
3– l'art d'être un enfant libre;
4– la vie est un processus d'épuration de la conscience;
5– l'art de laisser les rancunes, la haine, et de pardonner;

6– l'art de grandir et de devenir plus humain, plus complet;
7– l'art de risquer le changement;
8– l'art de vivre avec les mains ouvertes, d'accepter tout dans la vie;
9– la vie est une continuité, tout coule;
10– l'importance du moment présent.

Le but ultime de toute vie, c'est de devenir tout soi-même. Il ne s'agit pas d'errer pendant vingt, quarante ou soixante ans sur la terre à se demander ce qu'on a à y faire.

On doit assumer sa mortalité, sa finalité, plutôt que de vivre dans la peur de mourir. Mourir est inévitable. Pourquoi mourir pendant quarante ans?

On doit redevenir enfant libre avant d'entrer au ciel ou en paix, c'est-à-dire redécouvrir une spontanéité, une liberté d'expression, une curiosité, une ouverture d'esprit, une capacité de faire confiance, libérer son Jonathan et bien jouer le jeu de la vie, l'esprit, le coeur et le corps en mouvement, en ouverture vers l'énergie universelle . . .

LAISSER ALLER, C'EST L'ART D'ÊTRE PARENT PARTIR, C'EST L'ART DE DEVENIR ADULTE

Une bonne mère fait deux choses: elles apprend à sa fille à marcher puis à séloigner d'elle. Prendre le large est le test ou l'épreuve du passage de l'adolescence à l'âge adulte. L'une des étapes consiste à s'apercevoir que ce que dit notre mère ne change plus grand-chose. Nous aimerions que notre mère nous respecte mais, si elle n'a pas réussi à gagner notre respect, il nous sera difficile de ne plus subir son influence. Alors acceptons notre mère telle qu'elle est, sans la critiquer, la condamner, l'analyser ni la blâmer.

Un bon parent donne à ses enfants deux cadeaux:

1– des racines, ou l'aide à découvrir ses rêves, ses ambitions, un sens à sa vie, ses besoins;
2– des ailes, ou le goût de se dépasser, de grimper les montagnes, d'aller plus loin que lui, une bonne image et une confiance en soi.

Partir, bâtir son nid, c'est savoir s'en aller aussi . . . Un nombre croissant de jeunes de 18 à 25 ans ont peur d'assumer leurs responsabilités, de se prendre en main. Ils souhaitent secrètement, sans se l'avouer et sans en être conscients, que la société, le mari, la femme ou leurs parents prennent soin d'eux.

Naturellement, ils n'oseront pas se l'avouer et ils seront prêts à rétorquer et tenter de prouver le contraire. Toutes les excuses ou rationalisations et autres formes de peurs, tels les critiques, le doute, le scepticisme, le «denial» ou rejet ou refus, viennent vite à la rescousse. Même la contre-attaque et l'agressivité se font sentir.

Beaucoup de jeunes ont peur de quitter leur foyer et sont très mal préparés à se prendre en main. *Ils ont été programmés au chaud, dans le confort et la promesse d'une sécurité sociale permanente.*

Engourdis par la télévision et par l'assurance d'une sécurité sociale (assurance-chômage, assurance-santé, assurance-vie, assurance-salaire, assurance-tout), ils manquent de l'assurance principale, l'assurance en soi, la confiance en soi.

Orv Owens nous dit: «On essaie de les empêcher de toucher le plancher parce que, tôt ou tard, on sait qu'ils devront porter leur propre poids.» Par contre, la mère oiseau pousse le jeune en bas du nid au lieu de le couver.

Souvent, les parents ont peur de laisser aller leurs jeunes garçons ou leurs jeunes filles de 18 ans ou de 20 ans, peut-être parce qu'ils ressentent secrètement à l'intérieur d'eux que leur jeune est mal préparé. Peut-être se sentent-ils coupables?

Mais la loi de la vie n'est pas celle de la sécurité sociale ou de l'assurance permanente. La loi de la vie est celle de l'amour, de la lutte et du bon stress.

Vouloir se développer, apprendre, essayer encore et encore, telle est la loi de notre être. C'est dans l'amour de soi que l'on trouve les ressources et l'énergie pour vouloir se développer.

Cette lutte rend l'humain non seulement plus fort, mais plus beau et plus heureux. Il faut dépasser sa peur, aller au-delà et même dans le sens de ses peurs, contre elles, afin de devenir plus fort. C'est en ramant que l'on devient bon rameur.

ABANDONNER SON INNOCENCE, SES ILLUSIONS ET SES SOTTISES

Tout comme, tôt ou tard, on doit se départir de ses parents et de son gourou, et mener son propre bateau, il faut laisser tomber ses illusions d'enfant. Il faut laisser aller cette « belle au bois dormant » et cette idée qu'il existe quelque part un prince charmant qui va prendre soin de soi. Tôt ou tard, je devrai me réveiller à la réalité que le prince charmant existait seulement dans ma tête et que, de fait, il prend souvent l'allure décevante d'un crapaud.

Il nous faut laisser tomber les feuilletons télévisés ou les petits romans à l'eau de rose, où l'on vit hors de la réalité, dans notre imagination avec l'aide d'images où, inévitablement l'ennemi est vaincu et le bon gagne. Ainsi, on perd sa vie en attendant une fin heureuse et prévisible. Il en est de même des longues et nombreuses répétitions sportives à la télévision.

Il faut laisser tomber une pseudo-innocence ou l'illusion que la bonté est toujours récompensée, que quelqu'un va toujours prendre soin de nous, que le bonheur vient de faire ce qui plaît aux autres. Il faut laisser tomber notre innocence d'enfant sans perdre notre capacité de faire confiance et de risquer.

Il faut laisser tomber ses façons de penser, son sourire, sa voix douce et sa mimique de jeune fille et apprendre à vivre sa vie comme un adulte, à s'affirmer et à se défendre.

Il faut se libérer de nos sottises de l'esprit, tels que le destin, le hasard, la mauvaise chance, les excuses (oui, mais; c'est parce que . . .), lesquelles favorisent la passivité, l'incapacité à réagir aux événements et à créer sa propre réalité. Ce sont autant de façons de ne pas s'aimer et de ne pas devenir responsable de soi à part entière, de ne pas devenir pleinement adulte.

C'est le maître Zen qui a dit à son disciple: « Si tu rencontres le gourou sur ta route, laisse-le aller, fais-le disparaître de ta vie. » Combien de gens s'accrochent à un thérapeute, un médecin, un travailleur social, un psychologue ou un prêtre, au lieu de se prendre en main! Nul n'est mieux servi que par lui-même.

ADIEU DIÈTES . . . BONJOUR L'AMOUR!

L'excès alimentaire et l'obésité sont les produits d'une image négative de soi et de comportements négatifs.

La solution à ce problème formidable ne doit pas être recherchée dans des diètes magiques, mais plutôt dans le changement de ses attitudes, dans le développement d'une meilleure image de soi, plus d'amour et plus de capacité de prendre soin de soi.

Les docteurs Baird et Howard G. Schuts, de la Californie, mentionnent que l'état de nutrition est relié aux attitudes et aux comportements et que la dépression, l'ennui, l'immaturité et l'anxiété peuvent tous avoir un effet négatif sur la nutrition.

Par contre, une attitude positive et des comportements tels que le conditionnement physique, un équilibre social, intellectuel, affectif et économique, semblent avoir un effet bénéfique sur la nutrition.

Baird et Schuts concluent, entre autres, que les diététiciennes ont la bonne approche lorsqu'elles planifient des régimes amaigrissants pour les gens, en incluant des aliments et en leur prescrivant des excercices préférés.

De concert avec les experts en nutrition, les médecins et les travailleurs sociaux doivent apprendre à aider les obèses à rectifier et à reconnaître, à corriger les erreurs de leur vie, tous ces endroits qui ont besoin d'être nourris et d'être développés.

Ces faims d'ordre émotif sont le reflet d'une maigreur, d'une carence émotive et sont la véritable raison de l'excès alimentaire. Contrairement, la faim peut disparaître ou le sentiment de la faim peut se taire. Mais les sentiments de la colère, de l'ennui, de la solitude, ne s'en vont pas tous de façon permanente en mangeant. On ne fait que les submerger, les caler temporairement hors de notre conscience, dans notre esprit subconscient. *Tout ce que l'on fait, c'est d'éviter temporairement la douleur d'un estomac vide ou d'une vie vide de sens.*

Puisque les sentiments et les émotions sont très puissants, il faut laisser libre cours à leur expression de façon créatrice et non destructrice. Sinon il y a beaucoup d'énergies utilisées à réprimer ces sentiments et à brimer ou bloquer ces émotions dans leur expression intérieure. Tout comme un courant électrique ou une marée peuvent être difficilement contenus, on doit apprendre à exprimer la colère et les frustrations extérieurement plutôt que de développer une épaisse couche isolante de graisse pour les contenir.

L'ennui est un bon indice que l'on ne participe pas assez à sa vie, à la vie en général. L'ennui est l'absence d'idées créatrices. C'est un vide. Aussi tente-t-on de remplir ce vide avec de la nourriture, de compenser oralement, de se satisfaire temporairement, de soulager la douleur, l'anxiété ou le vide intérieur.

On doit réapprendre à s'aimer, à s'accepter davantage, à découvrir ses besoins de toutes sortes, ses ambitions, ses rêves, à trouver un sens à sa vie par le silence et à satisfaire ses besoins sans peur afin de retrouver cette paix intérieure et ce bonheur.

On doit apprendre à faire les choses qui amènent de la satisfaction, tout comme la nourriture le fait, à contrôler son besoin ou sa faim d'amour et non de nourriture.

Éliminer toute notion fausse concernant la nourriture est un premier pas vers la paix avec soi-même et avec elle.

Une autre façon naturelle de contrôler son obésité, c'est d'apprendre à faire la paix avec soi-même, avec la partie singe ou enfant au fond de soi, de réparer son image négative, de se faire confiance et de se diriger vers cet enfant qui crève de faim au fond de soi.

Il est essentiel d'être à l'écoute de cet enfant, autrefois libre à l'intérieur de soi, qui a tellement besoin d'affection.

Commence aujourd'hui à te répéter cette affirmation, et répète-la plusieurs fois par jour: *J'ai tout ce qu'il me faut pour prendre soin de moi, pour m'aimer et me nourrir. J'ai tout pour créer et jouer dans la vie. La nourriture est mon amie. Je veux m'en servir et je veux apprendre à prendre soin de moi d'autres façons.*

On a peur des choses dont on a le plus besoin. Pour obtenir tout ce que l'on veut de la vie, on doit se dépasser, franchir les obstacles qui nous bloquent la route. Une des façons d'envisager ses peurs consiste à écrire ou faire une liste de ses peurs et à prendre les moyens de les attaquer, une par une. Lorsqu'on a soif ou faim, au lieu de se diriger vers le réfrigérateur, on prend un bout de papier et on écrit exactement ce qui nous nuit ou nous ennuie. Aussi faut-il écrire ce que l'on ressent et être attentif à observer plutôt qu'à analyser les messages qui montent de l'intérieur.

Si on décide de manger quand même, l'on doit être conscient que l'on n'a pas faim, que l'on mange pour satisfaire une faim invisible, intangible, que l'on comble un besoin. Il faut apprendre à ne pas condamner cette faim mais à l'accepter.

SE LIBÉRER DE L'ACTIVISME (TYPE A)

Tout comme pour l'alcoolisme, le jeu, l'obésité, l'excès d'activité sexuelle (un nombre croissant de thérapeutes sont d'accord à reconnaître un comportement sexuel obsessionnel semblable à l'abus de drogues), certaines personnes sont poussées intérieurement à obtenir une satisfaction par l'agitation ou l'excès de travail.

Les docteurs Friedman et Rosenman ont identifié des gens et des personnalités de type A, ayant des comportements et des caractéristiques communes. Ces gens apparaissent très compétitifs, impatients et obsédés par le temps. Ils sont plutôt négatifs et cyniques envers eux-mêmes et les autres. C'est peut-être ce même cynisme, ou forme subtile d'hostilité, qui les prédispose à des risques cardiaques, dans une proportion du double de la population contrôle.

La personnalité de type B a tendance à laisser couler l'eau sous les ponts. Le type A est en état de lutte continue, essayant d'accomplir de plus en plus de choses, participant à plus en plus d'événements tout en ayant moins en moins de temps, montrant une hyperagressivité ou une forme d'hostilité flottante en face d'un ennemi réel ou imaginaire ou de la vie en général.

Essentiellement, ces derniers ont une image plutôt négative d'eux-mêmes et ils manquent d'amour de soi, de respect de leur corps; ils ont une certaine pulsion intérieure vers l'autodestruction, plutôt qu'un instinct de protection et de survie.

Cette attitude négative se manifeste par des changements au niveau du système limbique du cerveau, des changements endocriniens et du système nerveux sympathique. Il en résulte un excès de production de deux hormones, norépinéphrine et cortisol, et possiblement d'autres hormones, soit au niveau de la pituitaire et des glandes surrénaliennes. L'excès de décharges de la norépinéphrine serait responsable du développement des maladies artérielles.

Peu importe le mécanisme exact par lequel ces individus bloquent littéralement leurs coronaires et autres vaisseaux, *c'est dans leurs pensées, leurs croyances et leurs attitudes mentales que le problème existe et commence.* Un autre exemple de désordre vraiment psychosomatique . . .

Aussi la meilleure prévention consiste-t-elle en une guérison, un changement d'attitudes ou une reprogrammation au niveau du subconscient, surtout une amélioration de l'image de soi et une augmentation de la confiance en soi et de la capacité de s'aimer.

SE DÉBARRASSER DE COMPORTEMENTS COMPULSIFS

Abandonner l'alcool, le sucre, la cigarette, le jeu, le travail (type A), la course, les excès de nourriture et autres, cela comporte des difficultés et des écueils.

Les excès d'alcool, de nourriture, de jeu, de sexe, de course, de travail et de la cigarette sont reliés à une image négative de soi, à un manque d'estime de soi, avec une difficulté de lâcher prise.

On dit qu'une personne est une habituée ou aux prises avec un excès lorsqu'elle ne peut pas contrôler quand commencer ou terminer une activité.

Les gens qui deviennent habitués à une activité quelconque, aux prises avec un excès d'une forme ou d'une autre, obtiennent un plaisir intense (un « high ») de ces activités et démontrent des signes physiques et/ou émotifs de sevrage lorsqu'ils ne peuvent obtenir leur « fix ».

Le comportement compulsif procure une certaine euphorie (un «high»), tout comme la drogue. Même la course peut devenir un abus. Certains coureurs préfèrent courir plutôt que de travailler ou faire face aux difficultés du ménage. C'est plus simple de s'éloigner que de lutter et de faire face aux problèmes. Peut-être est-ce beaucoup plus sage dans de nombreux cas de choisir la paix de l'esprit aux conflits!

Tout abus peut être socialement, psychologiquement et physiquement destructeur puisque l'on taxe son système, l'on diminue son niveau de santé et l'on réduit sa liberté.

Afin de rompre avec une habitude, il faut augmenter sa capacité d'aimer, y mettre du coeur au lieu des excuses. C'est avec la tête que l'on fait de l'action.

Des études sur les abus ont montré des traits de personnalité communs dans toutes les formes d'excès, que ce soit l'alcool, la nourriture, le travail, la course, la sexualité, etc.

Les habitués ont plus tendance à:

1– avoir une image négative d'eux-mêmes (il est possible que le comportement néfaste soit une réponse, une recherche de l'accomplissement de soi ou une amélioration de son image);
2– être déprimés; l'excès peut être une échappatoire à la dépression;
3– se sentir aliénés, à part des autres; c'est le reflet d'une image assez négative d'eux-mêmes, de la peur d'être différents des autres ou d'être isolés;
4– avoir un comportement impulsif, peu conventionnel;
5– avoir de la difficulté à suivre des rêves, à déterminer des buts à long terme, à donner un sens à leur vie, à avoir des ambitions;
6– avoir peu de respect pour les normes sociales;
7– avoir une difficulté, une incapacité à faire face au stress de façon adéquate; ils ont moins d'habileté à se protéger contre le stress (par exemple, en courant, les coureurs compulsifs s'éloignent de leurs problèmes matrimoniaux ou du travail);
8– avoir été dépourvus, comblés ou surprotégés dans leur jeune âge.

Penser aux abus ou aux comportements obsessionnels seulement en termes de maladie physique ou de dépendance chimique, c'est ignorer le pouvoir de l'esprit d'engendrer le besoin d'une drogue.

Le docteur Stanton Peele, psychologue de Morristown (New Jersey) et co-auteur de **Unified Theory of Addiction – The Addictive Experience**, déclarait lors d'une conférence sur les abus, au Colorado: « Les habitués à la drogue qui cessent, arrivent à un point où ils ont assez de lucidité pour voir clairement leur comportement à tendance autodestructrice. Ils veulent reprendre le contrôle de leur vie. »

Aussi, pense le docteur Peele, plusieurs chercheurs ont-ils mis l'accent sur les causes biologiques des comportements obsessionnels plutôt que sur les causes mentales ou psychologiques.

La meilleure façon de se débarrasser d'un comportement abusif est celle qui est propre à l'individu. Comme le dit encore le docteur Peele: « *Les gens qui réussissent à se débarrasser d'un abus sont ceux qui **décident de le faire** plutôt que ceux qui reçoivent de l'aide.* »

Des études récentes indiquent qu'entre 70 % et 90 % des fumeurs, vainqueurs du tabagisme, l'ont fait sans aide, tandis que ceux qui obtiennent de l'aide et suivent des programmes professionnels recommencent à fumer dans les années suivantes, dans une proportion de 70 % à 80 %.

C'est une question d'amour, de respect de soi et d'attitude plus positive envers soi-même . . . C'est une réponse qui provient du coeur et non de la tête . . .

Tout processus de guérison, selon la loi de Hering, s'opère au niveau de la conscience, du mental, avant de se manifester dans la réalité matérielle, dans le corps physique.

ABANDONNER DES COMPORTEMENTS ABUSIFS

«*La véritable animation est intérieure; elle est basée sur une image saine de soi, une confiance inébranlable et un amour de soi-même sans condition.*» (BPL)

Personne ne peut motiver véritablement quelqu'un, à moins qu'il n'accepte de se motiver lui-même, qu'il ne dise un oui sans condition à lui-même, qu'il n'ait une ouverture d'esprit et de coeur envers lui-même.

La ligne de fond, le bas de l'échelle de toute motivation, *c'est la volonté du coeur ou le pouvoir de l'amour*, l'amour de soi, de la discipline, de la protection, de la confiance en soi, de l'image positive de soi, du sens des responsabilités envers soi et aussi de la découverte de ses propres besoins, de ses rêves ou de ses ambitions.

Tous ceux qui ont recours à des cures ou à des diètes magiques ignorent qu'ils doivent effectuer un changement en profondeur au niveau de leurs attitudes et de leurs comportements.

Ils doivent apprendre à développer une image positive d'eux-mêmes, à se répéter des messages de valeur de soi, à développer une confiance en eux assez forte afin de prendre soin d'eux-mêmes de façon gratuite, sans condition, sans peur, sans peur d'être critiqués, etc. Comme le dit si bien le docteur Peele: «Avant de changer, il faut posséder le désir ardent de vouloir changer ses habitudes, la croyance que l'on peut le faire et la décision de le faire.»

L'amour de soi ou le dévouement envers soi sous la forme d'une image positive de soi et d'une forte confiance en soi, la conscience que l'on doit apprendre à laisser aller ses peurs, la lucidité de ses propres besoins, de ses ambitions et d'un sens à sa vie, la décision ou processus décisionnel de le faire, voilà autant d'ingrédients essentiels pour obtenir du succès.

Ce sont ces techniques de succès qui sont élaborées dans les prochains chapitres du programme de succès. Ce sont ces lois ou principes nécessaires à la réussite de tout projet ou pour se débarrasser d'une habitude avec succès.

Derrière les habitudes de toutes sortes, il y a des peurs, surtout les masques de l'orgueil, de la rigidité, de l'obsession, des excuses, de la peur de ne pas être parfait, d'être rejeté, de ne pas avoir raison, d'être critiqué, de la peur du changement, etc.

Afin de se libérer d'un excès quelconque, que ce soit la nourriture, la cigarette, la boisson ou le travail, il faut s'adresser à ses peurs, surtout les excuses et l'entêtement, et augmenter sa capacité d'aimer. Sans amour, je ne peux rien. Avec l'amour, je suis tout, je peux tout faire . . .

Tout comportement obsessionnel possède un certain nombre de traits communs. Plus tes réponses aux questions suivantes seront affirmatives, plus ta tendance à t'habituer ou à t'adonner à une habitude négative sera marquée.

Voici ces questions:

1– Est-ce que ton habitude te fait oublier tes problèmes?
2– Est-ce que tu as recours à cette habitude quand tu te sens seul?
3– Est-ce que cette habitude t'empêche de remplir d'autres fonctions? D'essayer de nouvelles façons de faire? De rencontrer d'autres gens? De changer des routines? De partager avec d'autres qui n'ont pas cette habitude?
4– Est-ce que tu as recours régulièrement à ton habitude de te sentir mieux, au sujet de toi-même et de ton monde environnant?
5– Est-ce que tu te sens mal quand tu cesses cette habitude?
6– Est-ce que tu refuses de changer tes habitudes?
7– Est-ce que tu ignores tous les autres changements lorsque tu t'adonnes à cette habitude?
8– Est-ce que tu aimes cette habitude de moins en moins avec le temps?
9– Est-ce que tu peux l'abandonner, même si tu ne crois pas en retirer de plaisir?
10– Est-ce que l'idée d'arrêter ou de changer cette habitude ou cette activité te déplaît beaucoup, t'angoisse même, et que tu préfères plutôt continuer?

Si tu peux répondre oui à plusieurs de ces questions, alors tu as beaucoup de traits commun avec une personnalité dépendante, habituée. Ainsi, tu deviens habitué beaucoup plus facilement et rapidement que tu ne le penses ou n'aimerais te l'avouer.

LAISSER ALLER, C'EST ÊTRE EN SANTÉ PHYSIQUE ET MENTALE

On doit apprendre à laisser aller afin d'être en bonne santé physique et mentale et d'éviter ainsi une constipation de l'esprit et du corps.

On doit apprendre à laisser aller . . . sinon, il est impossible d'obtenir un orgasme ou de vibrer avec passion . . . On doit se libérer de cette culpabilité envers le plaisir afin de goûter vraiment au plaisir. Le plaisir de l'appréciation des vibrations internes, des énergies mentales circulant et faisant vibrer tout l'être, tels un diapason ou un violon bien accordés.

On doit apprendre à laisser aller notre goût de juger, de critiquer, d'analyser, de blâmer et adopter une attitude plus optimiste, plus aimable, plus ouverte aux autres et au monde, une attitude mentale positive.

Il faut sortir de son intellectualisme, de sa tête, cesser de dérouler les bobines de vieux films enregistrés dans notre subconscient, taire notre pensée afin de donner une chance au corps et afin de tomber endormi rapidement le soir et de se guérir durant un profond sommeil réparateur.

On doit laisser en repos l'ordinateur central qu'est le cerveau afin de lui donner le temps de digérer la montagne d'informations reçues pendant la journée, soit par les sens, l'intellect ou les sensations extra-sensorielles (la perception, l'intuition).

À cause de la gravité et des pressions de la vie courante, provenant de stimuli et d'idées pas toujours positives, il y a une accumulation des énergies vers le corps lorsque ces dernières ne sont pas toutes exprimées extérieurement ou lorsque le système n'est pas vidé couramment par l'exercice physique.

Ces énergies sont souvent accumulées sous forme de tensions musculaires au niveau de la tête, du cou et de la région des omoplates ou du bas du dos. La meilleure façon de pouvoir laisser aller ces tensions, c'est de contracter le muscle et le relâcher ensuite, un peu comme pour l'orgasme ou l'éternuement. Lorsque le cycle complet est terminé, c'est-à-dire lorsqu'il y a une contraction complète suivie d'une détente, on ressent une profonde satisfaction.

On peut très bien se libérer de tensions accumulées dans nos muscles et nos tissus de toutes sortes en s'étirant, en se roulant par terre et en nageant de côté sur le plancher, selon la méthode du docteur Moshe Feldenkrais, ou en pratiquant des exercices d'étirement dorsal du type hatha-yoga.

Les massages, la nage, l'activité sexuelle, la danse et la plupart des sports constituent d'excellentes façons de prendre soin de son corps et de laisser aller des tensions ou des énergies accumulées dans son corps. De plus, le rire est thérapeutique. C'est un merveilleux laxatif pour libérer le corps et l'esprit du stress, de la fatigue ou des charges négatives.

SE GUÉRIR DE COMPORTEMENTS OBSESSIFS ÇA PREND DE LA VOLONTÉ ET DU COEUR

La volonté n'est pas une faculté de l'esprit, de la pensée, mais une capacité du coeur.

Avoir beaucoup de volonté, ce n'est pas être entêté, c'est être pris par le coeur, c'est y mettre beaucoup d'amour et moins d'excuses.

Afin de se libérer d'un excès, il faut y mettre beaucoup de coeur, moins de tête. Il faut y mettre des efforts répétés, de la patience, de la persistance, et vivre pleinement le moment présent (un jour plein à la fois). C'est la seule façon de s'en sortir.

C'est dans l'action que l'on se définit et que l'on se débarrasse de ses excès. C'est avec du coeur et de l'action que l'on se débarrasse de ses habitudes et non avec la tête et son orgueil. Il faut le désir ardent, celui qui vient du fond de l'être en passant par le coeur et le subconscient. Avec la tête (ou esprit conscient), je voudrais mais . . . Avec le coeur (ou esprit subconscient), j'ai envie de . . Je veux . . . Je fonce . . . Je vais faire . . . J'ai besoin de . . . Ça brûle . . .

LAISSER ALLER À 40 ANS

Laisser aller . . . je devais l'apprendre difficilement, avec peine, avec résistance. L'esprit conscient a peur de laisser aller le contrôle sur le coeur, sur les sentiments.

J'ai finalement appris à abandonner les contrôles, surtout sur ma femme, mes enfants et beaucoup d'autres personnes . . . Désormais, je ne veux plus contrôler, je veux laisser vivre . . .

Tout dans la nature coule. Il faut laisser couler l'eau sous les ponts, comme disait mon grand-père. Sinon, on risque de se créer des problèmes, des mares d'eau et des ennuis de toutes sortes.

Après avoir vécu de nombreuses années au niveau de la tête, qui aime analyser, critiquer, chiâler, condamner et contrôler, et après m'être rendu compte que telle n'est pas la voie du bonheur, *j'ai finalement consenti et décidé d'essayer une autre façon de vivre afin d'être plus heureux.*

Une attitude plutôt négative ne peut rien faire d'autre que d'attirer de la confrontation, des tête-à-tête, de la compétition, d'autres analyses, d'autres critiques, d'autres chiâlages.

Une attitude négative devient une source inépuisable de petits conflits entre les gens d'une même famille, d'un couple, d'un groupe de travail ou d'un groupe social.

Voilà la faille dans la relation entre deux ou plusieurs humains. *Une meilleure relation entre les humains implique une plus grande affectivité et moins de rationalisation ou d'entêtement, plus de coeur et moins de tête, un meilleur équilibre entre la capacité de penser, d'analyser, de critiquer, de chiâler et la capacité d'aimer, de vivre au niveau des sentiments.*

« Vivre en amour tout le temps », comme le dit la chanson, ou vivre au niveau des sentiments tout le temps, c'est plutôt utopique et peu humain, peu équilibré et peu productif. Mais l'équilibre entre les sentiments et le processus de la pensée est certainement la meilleure réponse humaine, la meilleure façon de vivre et d'obtenir la paix, le bonheur et la prospérité.

Pour ce faire, il faut laisser tomber beaucoup de notre tendance à avoir raison, de notre orgueil, de notre rigidité intellectuelle, de nos excuses, de nos raisons et de notre propension à viser la perfection plutôt que l'excellence.

Alors, pourquoi toujours essayer de comprendre tout avec notre tête? Pourquoi tant de pourquoi? Pourquoi ne pas essayer de vivre avec le coeur, de trouver des façons d'aimer? Le coeur a ses raisons que la raison ne connaît pas.

À 40 ans, je continue à apprendre à lâcher prise. Et j'ai le goût de le montrer à d'autres, qu'ils soient époux, épouse, père, mère, frère, soeur, ami, client ou malade.

À 40 ans, je veux le montrer à plus de jeunes possible, à un nombre illimité de Jonathan.

Aimer, c'est laisser aller sa tête un peu et vivre avec sa tête la moitié du temps, et non quatre-vingt pour cent du temps. Aimer, c'est vivre au niveau des sentiments positifs l'autre moitié du temps plutôt que dans ces conflits, comme la majorité des gens.

Vivre en amour la moitié du temps et non à plein temps, c'est beaucoup plus humain, raisonnable et équilibré. Et ça rend heureux, beaucoup plus productif. C'est la façon de réussir sa vie. C'est l'art de vivre.

AU RISQUE DE LAISSER ALLER . . .

Je peux choisir de laisser passer des idées ou les retenir, de croire ou de douter, de croire à la vie, en l'amour à travers l'univers, ou demeurer sceptique, froid, apathique, de croire en moi et de développer mes capacités de jouir, de lutter, de penser, d'aimer, de créer, de rêver et d'apprécier le grand mystère de la vie, ou de vivre en frustré une vie monotone, misérable, espérant que cela finisse au plus vite.

Je peux choisir de m'ouvrir au monde, à l'énergie universelle, aux idées positives, à l'amour, afin de m'énergiser, ou d'avoir raison, d'être toujours fatigué.

Trop longtemps, vraiment trop longtemps, j'ai choisi de me retenir plutôt que de me laisser aller . . . *Non, jamais plus je ne veux retourner en arrière* . . . Maintenant que j'ai vu la lumière, je veux vivre, je veux célébrer ma vie, je veux m'épanouir dans l'amour . . . à jamais . . .

De plus, je te rends ta liberté . . . et je me donne ma liberté . . . Je renonce à mes droits de possession sur toi. Je veux te rendre libre d'organiser ta vie selon ton plan et tes idées les meilleures . . . Mari, femme, enfant, ami, je n'essaierai plus de t'imposer mes vues ni mes manières . . .

Je vais m'interdire de porter des jugements sur toi et sur tes attitudes personnelles. Je ne crois plus que tu manques de ressources nécessaires pour faire face à la vie. J'ai confiance en toi . . . j'ai confiance en la vie qui est en toi . . . j'ai confiance en moi . . . j'ai confiance en la vie qui est en moi.

À moins d'apprendre à laisser nos préjugés, nos vieilles façons de faire, à moins de redevenir enfants, de s'exprimer librement, d'être curieux et avides de connaissances, on n'obtient jamais le vrai bonheur ni la vraie paix.

Vraiment, notre liberté est entre nos mains. C'est à nous de décider de la vivre toute notre vie ou de rester esclaves de nos peurs sous toutes leurs formes. C'est entre nos mains . . . C'est entre nos mains . . .

Laisser aller, c'est une habitude à développer et à choisir chaque jour. Elle s'acquiert graduellement, comme toutes les autres habitudes. Elle permet le changement, la croissance, diminue le stress dans notre vie et favorise la santé mentale et physique.

Tant et aussi longtemps que nous tiendrons à nos idées, à des choses ou à des humains, nous souffrirons et nous serons prêts à blâmer, juger, impliquer les autres pour notre misère, notre douleur. Pourtant nous portons en nous la cause et, en même temps, le remède de notre mal . . .

C'est pour vivre toute cette liberté que le Christ nous a libérés (des peurs). (Galathes 5, 1, saint Paul)

PROGRAMME D'AMOUR

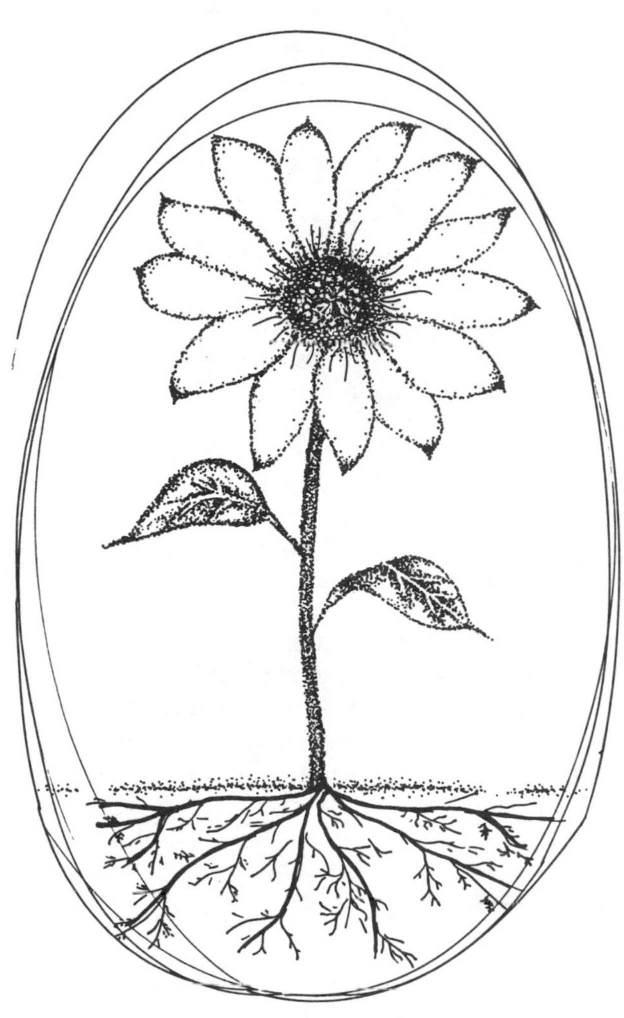

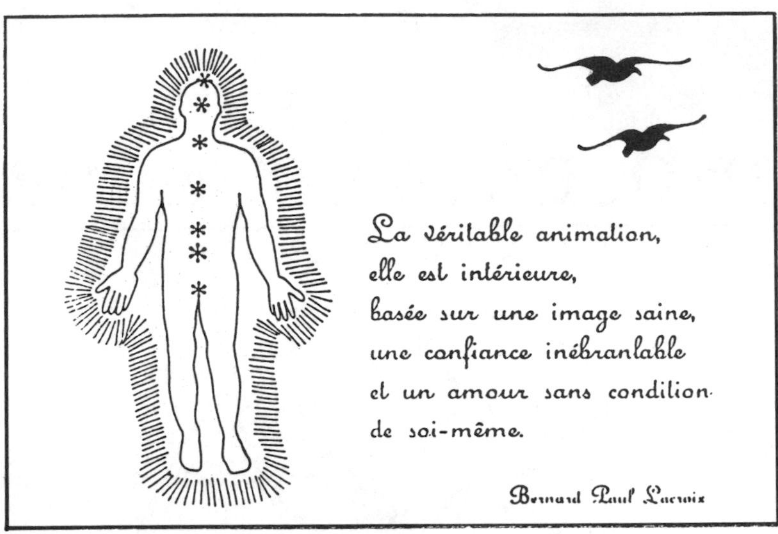

La véritable animation (source d'énergie) est intérieure. Si je veux être vivant, je dois apprendre à m'énergiser par mes propres moyens, trouver ma source d'énergie au fond de moi dans l'amour inconditionnel.

Et le reflet de Merlin dit: « Je suis ton mental dans sa plénitude. Je t'ai enrichi par la voie de la connaissance et nous avons travaillé longtemps pour cela. Il m'a fallu explorer, fouiller, trouver, analyser, comprendre. Il m'a fallu rester calme, froid et toujours prudent. Je t'ai appris par cette voie à transmettre et à enseigner . . . »

Et le reflet de Viviane dit: « Partout où tu iras, partout où ton regard se posera, tu pourras toujours voir par la transparence le reflet de mon visage et je te donnerai mon sourire. Car si tu m'as donné la connaissance, je t'ai appris la Voie de l'Amour. Si tu as été réticent, c'est que l'amour pour toi était un piège par désir de posséder ou par désir d'harmonie. Mais par ma fusion en toi, tu as compris qu'il n'y a ni piège, ni sacrifice. Tu as compris qu'aimer quelqu'un c'est chercher à l'aider dans sa réalisation. C'est pourquoi je suis devenu ton reflet . . . »[1]

1. André Poray.

« Tous, hommes et femmes, nous devons tendre vers l'état androgyne (équilibre entre la capacité de penser et la capacité d'aimer, entre l'intellect et le sentiment, mi-intellectuel, mi-sentimental). » (BPL)

L'AMOUR C'EST . . .

L'amour, c'est la divinité humanisée, en chair. (BPL) Celui qui aime est un tunnel par lequel Dieu (l'Amour ou l'Énergie cosmique) se répand aux autres, réchauffe les autres et le monde. L'amour redonne à l'humain sa dimension divine. Nous devons tous devenir des témoins de l'Amour divin, cet amour inconditionnel et créateur.

L'amour, c'est le soleil ou l'énergie qui nous réchauffe, nourrit notre être. Lorsqu'on est assez chaud, on peut réchauffer tout autour de soi, donner aux autres. Et grâce à nous, notre entourage se sent mieux, a moins froid, est meilleur.

L'amour est une force guérissante. Amour et connaissance ne font qu'un. C'est comme un soleil débordant d'énergie. C'est le premier remède. L'amour rayonne, l'amour réchauffe, l'amour guérit. Il ne s'agit pas d'en parler ou d'en jouer, mais d'en vivre.

Jean-Paul II et Thérèse de Calcutta sont deux personnes qui inondent d'amour les gens autour d'eux en réchauffant sur leur passage les malades, les mourants, un peu comme par magie. Non seulement ces personnes connaissent-elles bien l'amour, mais le vivent-elles intensément et le donnent-elles généreusement autour d'elles.

La connaissance et l'amour, c'est l'essence de la vie, de la santé. C'est la source de toute énergie guérissante pour tout homme qui ose s'en abreuver, s'en enivrer . . . C'est la source première ou la plus fondamentale de l'énergie et de la puissance de guérison de la nature, au delà de la matière et de la lumière. C'est l'énergie mentale, la pensée universelle ou le flux bioplasmique de l'univers qui baigne tout notre être et constitue notre aura.

Par l'ouverture de l'esprit, du mental, l'humain a la liberté et la capacité de s'énergiser à volonté, de se charger, de se rendre amoureux ou rempli d'amour et d'idées positives. Son trop-plein, il pourra le déverser à volonté dans son entourage pour aimer et guérir. C'est merveilleux de comprendre les forces de la vie.

L'AMOUR C'EST . . .

Il existe l'amour rude, dur. Aux dires du petit Pierre: «Quand ma mère me donne la fessée, selon elle c'est qu'elle m'aime et que c'est pour mon bien. J'aimerais qu'elle ne m'aime pas autant, pas aussi fort . . .» Cette sorte d'amour rudoyant engendre des peurs et bloque l'humain dans son développement.

Il y a l'amour moelleux, ouateux, qui favorise la dépendance, la peur de risquer, de changer, de vivre.

Il y a l'amour ferme, responsable, favorisant la prise en charge de soi, la responsabilité envers soi, son autonomie.

La loi de l'amour est supérieure à toutes les lois des humains, à toutes les règles, à toutes les ordonnances. *Cette loi, c'est l'amour. C'est la première et dernière loi.*

L'amour a de nombreux équivalents, visages ou synonymes. En voici quelques exemples:

1- l'amitié
2- la justice
3- la générosité
4- l'amabilité
5- le partage
6- le don (charité)
7- le coopération
8- la confiance
9- la croyance
10- la tolérance
11- la patience
12- la gentillesse
13- le respect
14- le sourire
15- l'acceptation
16- la reconnaissance.

On ne peut pas légiférer l'amour. Pourquoi le monde est sans amour? Pourquoi tant de disputes légales? Pourquoi tant de guerres? . . . Pourquoi tant d'arguments? . . . *C'est parce que l'on ne vit pas assez avec son coeur mais trop avec sa tête, avec trop d'entêtement et qu'on insiste pour avoir raison.*

L'AMOUR, C'EST UNE TRINITÉ

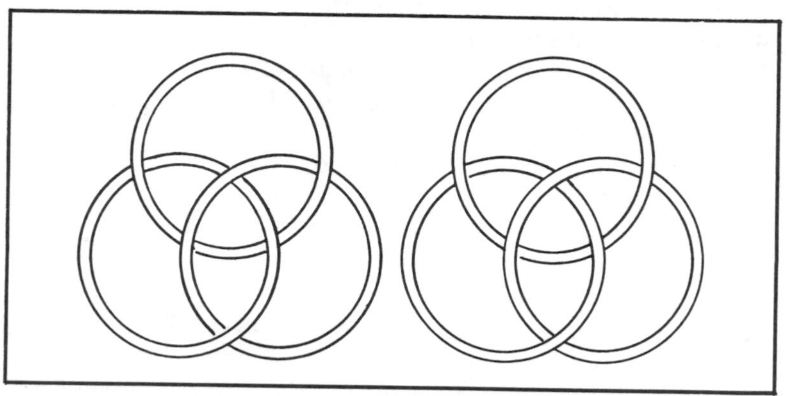

Pour moi, l'amour est trine ou triple . . .
Dans l'amour, il y a une trinité qui m'apparaît essentielle.
Si Dieu est Amour, il doit y avoir une trinité en Dieu aussi.
C'est au coeur de l'enseignement religieux et de la théologie.

Pour moi, l'Amour, la Justice et la Paix sont les trois doigts de la même main (facettes de la même vérité).

La paix, l'amour et le bonheur sont les aspirations profondes et communes à tous les humains, ce dont leur coeur a soif . . .

L'image positive de soi, la confiance inébranlable et l'amour gratuit de soi sont une trinité d'amour, une source importante d'énergie intérieure chez les humains . . . une véritable dynamo.

LES INGRÉDIENTS DE L'AMOUR

L'amour, c'est de l'énergie comme le soleil. L'amour, c'est du mouvement comme le vent.

Parmi les éléments essentiels composant l'amour, certains ingrédients constituent *un mouvement vers soi-même*:

1– amour de soi sans culpabilité, sans excuse;
2– acceptation de soi et de l'autre;
3– intimité avec soi, ensuite intimité avec les autres;
4– image positive de soi;
5– confiance inébranlable en soi d'abord;
6– engagement et fidélité envers soi d'abord; intégrité envers soi d'abord;
7– connaissance, capacité de penser;
8– patience envers soi;
9– tolérance envers soi;
10– respect de soi;
11– acceptation de soi;
12– générosité envers soi d'abord et les autres.

D'autres éléments tout aussi essentiels constituent *un mouvement vers les autres*:
1– amour sans attachement, sans attente envers les autres;
2– création et créativité;
3– éléments de risque, d'action, de courage;
4– vulnérabilité, ouverture à l'autre;
5– présence à l'autre, écoute active intense de l'autre;
6– communication claire (j'ai besoin de toi . . .);
7– sensibilité ou capacité de ressentir;
8– sensualité et sexualité; (capacité de jouir et d'être satisfait); intimité avec l'autre;
9– magie, romance, amour tendre (mer calme);
10– enthousiasme, force, énergie, rage, passion (mer houleuse);
11– amour, rire, enfant libre, jeu, plaisir;
12– spiritualité, profondeur, intimité;
13– partage;
14– confiance;
15– tolérance;
16– patience;
17– engagement, fidélité, intégrité;
18– respect;
19– détente, laisser aller, relâchement;
20– pardon, laisser aller;
21– égalité.

LE VÉRITABLE AMOUR

*Amour égoïste (enfant).
Il prend tout sans
échanger.*

*Amour conditionnel
(adolescent).
Il attend un retour,
une faveur.
Il donne pourvu que . . .*

*Amour inconditionnel,
gratuit, adulte . . .
C'est le don libre,
sans attachement,
sans attendre de retour.
Il donne parce qu'il aime
donner . . .*

D'autres éléments constituent *un mouvement vers le monde, vers la vie* et sont aussi essentiels à un amour véritable:

1– lutte, effort;
2– croissance, dépassement;
3– changement;
4– liberté;
5– justice;
6– simplicité;
7– temps;
8– silence;
9– persistance, persévérance, discipline;
10– risque;
11– spontanéité;
12– fluidité, flot;
13– flexibilité;
14– décision, choix;
15– créativité;
16– ici et maintenant.

« Aimer, c'est se libérer de la peur.»[1] Aimer, c'est choisir de vivre dans la paix plutôt que dans le conflit et dans l'affrontement . . . C'est un choix . . .

1. Jampolski, Love is Letting Go of Fears.

L'AMITIÉ ET L'AMOUR

L'HOMME DANS LE MIROIR

Quand le monde t'a cédé ce que tu désires
Et que, pour un jour, il t'a fait roi
Alors, va devant le miroir, regarde-toi
Écoute ce que cet homme veut te dire.

Ce n'est ni ta femme, ni ton père, ni ta mère
Qu'il faut que tu considères
Celui dont le verdict compte le plus dans ta vie
Est celui qui te regarde en vis-à-vis

C'est lui qui compte. Laisse faire le reste
Parce qu'avec toi, toujours il reste.
Tu passes le test le plus difficile de ta vie,
Si l'homme dans le miroir est ton ami.
(Amour de soi sans condition, sans peur)

Tu peux te penser quelqu'un mon vieux,
Parce que tu as ramassé bien des sous
Mais l'homme dans le miroir dit:
« Tu es un voyou »,
Si tu ne peux le regarder dans les yeux.

Tu peux tromper les gens durant des années
Mais tes meilleures joies seront gâtées
Même avec de l'argent plein ton tiroir
Si tu as triché l'homme dans le miroir.

Dale Winbrow

Devenir un bon ami pour soi, développer un bon instinct, devenir un bon animal pour soi, on a peur, on se sent coupable, on n'ose pas . . .

Pourtant, c'est le premier pas vers l'amour des autres. On ne peut bien aimer les autres si l'on ne peut pas s'aimer soi-même d'abord, sans condition, sans excuse, sans peur.

*L'amitié . . . Le chien est un véritable ami car il aime sans condition . . . mais il est trop dépendant. Par contre, le chat sait nous montrer à s'aimer **sans condition** et il est plus interdépendant mais un peu trop indépendant des autres.*

« On a juste assez de religion pour se haïr (se critiquer, se juger) mais on n'a pas assez de spiritualité pour s'aimer, s'accepter les uns les autres sans condition. » (BPL)

Amour de soi sans condition veut dire sans culpabilité, sans excuse d'aucune sorte. Amour des autres sans attachement, même non partagé, implique une gratuité véritable. Je donne parce que j'aime donner sans attendre quelque chose en retour. C'est une qualité et une capacité profonde d'aimer. Dans le plaisir de donner, j'ai déjà ma récompense et je n'ai pas à attendre autre chose.

Les ingrédients essentiels d'une véritable amitié sont:

1– intimité avec soi, honnêteté, lucidité de ses besoins;
2– candeur émotive ou capacité de risquer, de se mettre à nu et d'avouer ses sentiments envers l'autre;
3– respect des sentiments de l'autre;
4– confiance mutuelle;
5– apparence soignée;
6– personnalité avec une compétence ou plusieurs habiletés, dans le domaine de la communication interpersonnelle, des habiletés à résoudre les problèmes et à s'amuser;
7– sens de son indépendance, de son autonomie;
8– sens de l'égalité;
9– intérêts communs et expériences communes, tels les sports, les passe-temps, le travail, le style de vie, etc.

Plus il y aura de ces ingrédients dans une relation entre deux humains, meilleure et plus profonde sera cette relation d'amitié.

L'amitié est une forme d'amour; et *est heureux celui qui a rencontré l'ami ou les amis avec lesquels il peut satisfaire ses besoins en prenant soin de lui-même et en demeurant indépendant, ou plutôt inter-dépendant et autonome.* (BPL)

C'EST AUJOURD'HUI

C'est aujourd'hui que commence ma vie
Tout revêtu couleur paradis
Maintenant je chante avec joie
Une chanson écrite pour toi et moi.

Dans ton visage, ce beau paysage
Au bord d'une plage, haut dans les nuages
C'est ici, parmi tous nos amis,
Que notre amour aura grandi.

Comme un enfant nageant dans l'océan,
Faut essayer, même risquer de se noyer.
À chaque jour on façonne son avenir
Si l'on veut, on pourra réussir.

Une simple histoire, du matin au soir,
D'amour plein ou vide, chacun de nous décide.
Main dans la main, sur un même chemin
Même aujourd'hui j'ai hâte à demain.

Le passé qu'on voudrait oublier
C'est le tremplin pour un meilleur demain.
Comme un miroir perdu dans le noir
Est notre amour cherchant la lumière du jour.

C'est vrai qu'hier j'étais un étranger.
Entre nous deux s'éveille une amitié.
C'est pas facile de se laisser aimer
Mais pour beaucoup c'est la vérité.

Et dans ce monde trop accéléré,
Je dois apprendre à me modérer.
Hélas! mon coeur est lent à persuader
Avec plaisir il saura essayer.

C'est épeurant de se sentir blessé
Devant ces tonnes de réalités.
D'autres avant nous ont su les surmonter
Ne vaut-il pas la peine d'essayer?

Cette chanson maintenant va finir . . .
Mais toi et moi . . . Qui sait notre avenir?
Malgré nos peines, faut pas désespérér
Car nos désirs peuvent devenir réalité.

Mark J. Lefebvre

L'AMOUR EST UN MOUVEMENT, UN FLUX D'ÉNERGIE

Beaucoup d'êtres ont appris et sont convaincus que le premier mouvement doit être vers les autres d'abord plutôt que vers soi-même. Puisque l'on ne peut donner qu'une copie carbone à l'autre (je garde toujours l'originale) et que toute logique bien née reconnaît que l'on ne peut pas donner ce que l'on ne possède pas, il est évident pour moi, et pour un nombre grandissant de conseillers, d'éducateurs ou autres, que le mouvement vers soi (se posséder, se découvrir, s'aimer, être responsable de soi, se protéger) *est la première obligation de tout individu.* Il s'agit bien d'un *égoïsme altruiste, d'un amour qui ne connaît pas de peur de s'aimer et qui ne laisse aucune place à la culpabilité.*

Un homme riche qui a du coeur et qui donne généreusement peut et doit aider beaucoup de pauvres autour de lui, en commençant par prendre soin de lui-même. Il est beaucoup plus difficile et presque impossible à un pauvre homme de faire de même.

Il n'y a pas de hasard dans le fait qu'un mendiant, ou toute personne pauvre, possède toujours une image négative de lui-même, peu de confiance en lui et peu de goût ou de capacité de prendre soin de lui-même.

Ce que l'homme pense dans son coeur, tel il est.

DIRE OUI À L'AMOUR

L'amour, c'est souffrant lorsque l'on aime les mains fermées, les doigts qui accrochent l'autre, qui retiennent. Aimer sans attachement, c'est non seulement possible, mais c'est la marque d'une plus grande qualité et capacité d'amour. Tellement peu d'hommes n'osent y croire et encore moins le pratiquer, le vivre!

De plus, lorsqu'on aime avec attachement, on vit dans la crainte profonde de perdre son « butin », son mari ou sa femme, dans la jalousie ou l'envie, et dans les jeux de l'esprit.

C'est dans le sens que l'amour fait souffrir qu'Edith Piaf et de nombreux autres chanteurs et poètes ont chanté l'amour avec nostalgie et une certaine amertume.

Oui, il est possible de vivre dans l'amour sans trop souffrir, pourvu qu'on laisse toujours aller, que l'on accepte tout . . .

L'AMOUR

L'Amour est une grande et merveilleuse chose . . .
Laisse de côté tes ennuis, ton argent et ose
Parler et comprendre avec ton coeur, et pose
Les gestes qui te procureront la vie en rose . . .

Sans hésitation, ouvre bien grands tes yeux . . .
De ton âme, laisse miroiter le merveilleux
Afin que les gens puissent te sentir heureux
Et trouver en toi ce qu'il y a de plus fameux.

Ainsi, tu rayonneras sur ton entourage . . .
Tu procureras à tes semblables la volonté et le courage
Dont ils ont besoin pour affronter les plus gros nuages,
Et tu les rassureras de tes joyeux présages . . .

Tu auras alors, en toi, la conviction profonde
Que les êtres humains sont venus au monde
Pour aimer et être aimés à la ronde,
Et l'on te remerciera de cette amitié féconde . . .

Gilles Bessette

LE PLUS GRAND AMOUR

Le seul véritable amour, qui mérite d'être nommé amour, est inconditionnel et gratuit. Toutes les autres formes (égoïsme, dépendance, amour conditionnel) ne sont pas des formes adultes mais plutôt des semblants, des contrefaçons.

Est-il irraisonnable de penser que le véritable motif d'exécution de Jésus ait été celui d'être un guérisseur (Jésus: physicien, guérisseur) plutôt que celui d'être le fils de Dieu, comme nous tous, et roi des Juifs.

Tout guérisseur possède une grande empathie ou une capacité d'aimer soi-même et les autres. Ce fils de Dieu, le Christ, a personnifié de façon la plus parfaite ce grand amour inconditionnel et par là, sa capacité de guérir par la pensée, la parole et le toucher, toute personne qui *en faisait la demande avec grande confiance*. Son enseignement étant donné, il aurait bien pu se retirer et s'enfuir, mais il a choisi de manifester le plus grand amour, le plus gratuit et le plus détaché, à accepter tout de la vie, même la mort. Jésus de Nazareth a assumé à la perfection l'amour inconditionnel sans nécessairement devoir expier nos fautes ou nous réhabiliter. Il nous donnait l'exemple le plus parfait du don sans attachement, sans attente evers les autres, en y perdant même la vie.

Mais si nous voulons vivre en plénitude, nous aussi devons apprendre à laisser aller plutôt que de contrôler, de s'attacher les autres à nous (femme, enfants, chat, etc.). Il faut apprendre à n'être possédé par aucun lien matériel, à posséder temporairement des biens sans attachement pour notre service et notre plaisir et à être prêt à les laisser aller volontiers, sans peur, sans retenue . . . Ne rien posséder, n'être possédé par rien ni personne, c'est arriver à une spiritualité, une liberté absolue.

À l'expression «je veux te prêter ma liberté» (Kaplan), je préfère substituer celle-ci: «Je veux célébrer avec toi ma liberté, ma divinité, mon unicité et notre diversité.» (BPL)

Le plus grand amour . . .

Aime-moi sans vouloir me posséder, me marier!

Aime-moi sans croire que je t'appartiens . . .

Beaucoup d'autres avant toi ont essayé, en vain, de me marier en partageant leur amour avec moi, cachant secrètement dans leur for intérieur l'espoir d'une conquête facile.

Beaucoup d'entre elles m'ont accusé de ne pas savoir aimer, d'avoir peur de l'engagement, d'être immature.

Mais vraiment, moi, je sentais que leur amour n'était pas le véritable amour. Il était partiel, dépendant, conditionnel. Je ne voulais plus de dépendance, seulement une interdépendance.

J'étais assoiffé d'une liberté d'expression, de création et d'action. J'avais besoin de beaucoup de paix, de silence, d'absence et d'éloignement afin de mieux me découvrir et te découvrir.

Car, vois-tu, l'amour véritable mûrit avec le temps, le silence et souvent avec la souffrance. Tôt ou tard, on doit apprendre à laisser aller, à lâcher prise.

Seul, j'ai dû apprendre l'amour gratuit, inconditionnel, sans peur ni excuse ni culpabilité, et le trouver en dedans de moi . . . J'ai dû dépendre davantage de moi et moins de l'autre et des autres . . .

Vois, mon amour a grandi dans le silence, la méditation, la découverte de ma réalité intérieure et non dans le bruit et la pollution.

On peut difficilement aimer un étranger. L'on a beaucoup avantage à se découvrir afin de mieux s'apprécier et se célébrer. Il y a tellement de divinité, de beauté et de potentiel à l'intérieur de chacun de nous tous!

Maintenant que je m'aime beaucoup, je suis très en paix et heureux et en parfaite santé. Et j'ai le goût de partager mes richesses avec toi et de t'aider à découvrir les tiennes.

Je t'ai attendue assez longtemps . . . Il fait bon te reconnaître et t'accueillir chez moi . . . Reste un peu . . . Mais sache que ma maison n'est pas une cage, ni un hôtel, ni une prison, mais plutôt un sanctuaire, une oasis de paix et d'amour . . .

Je t'aime, JAI BAGWAN.

Je salue la divinité en toi!

Bernard.

L'AMOUR, C'EST DE L'ÉNERGIE, DES VIBRATIONS POSITIVES

Dans son livre **Tu m'apportes l'amour**, mère Thérèse de Calcutta, prix Nobel de la paix en 1979, dit: «Seigneur, donne-moi cette décision de foi et mon travail ne sera jamais monotone.» L'amour, c'est un choix, une décision. La foi, c'est la croyance, l'énergie non visible mais qui peut imprimer ou affecter la pellicule cinématographique.

Le reporter-caméraman Mergeridge raconte une expérience vécue lorsqu'il est allé filmer le mouroir de Calcutta. À sa grande surprise, lorsqu'il photographiait sous un mauvais éclairage, il a découvert toute une nouvelle dimension d'éclairage et une luminosité merveilleuse, presque miraculeuse, qui avait imprimé la pellicule. En entrant dans le mouroir, on ressentait l'énergie, l'amour qui inondait cet endroit.

Les psychiques et les mystiques ont saisi l'essentiel de ce grand univers. Certains l'ont appelé l'Univers, Dieu, Masse Infinie d'Énergie, Conscience Cosmique, Amour Universel, Intelligence Universelle.

Peu importe la terminologie, il semble y avoir un dénominateur commun: *l'Énergie*. Il y a en nous un univers rempli d'énergie ou de centres d'énergie qui sont en vibration ou en résonnance avec l'univers. Il faut lire **Les Forces de la vie** de Martin Gray et **L'Homme, cet inconnu** d'Alexis Carrel pour en comprendre l'étendue. C'est un thème qui se répète.

Dans l'infiniment petit ou l'atome qui est l'unité de base de toute matière se retrouvent tous les éléments et l'ordre de l'infiniment grand ou l'Univers des planètes, des galaxies, le grand univers étant un parfait miroir de ce petit univers de l'atome.

S'AIMER, C'EST MÉDITER,
RÉFLÉCHIR SUR SA VIE . . .

Il y a un petit univers à l'intérieur de chacun de nous qui est à l'image de ce grand univers, et l'homme a été créé à l'image et à la ressemblance de Dieu. Si Dieu est Amour, l'homme est une parcelle de cet Amour et il s'épanouit dans l'amour en se nourrissant à la source de l'Amour qui est Dieu.

L'amour est toujours expansif, débordant, explosif. Et on a essayé par tous les moyens de le restreindre, de le contenir, de bloquer son expression, de le supprimer. On a réussi partiellement. On a empêché les humains d'absorber et de faire rejaillir l'amour autour d'eux. Certains humains sont très amortis dans leurs peurs.

Et l'humanité souffrante, en proie à ses peurs, ne sera jamais dépourvue complètement d'amour. *Mais cette humanité a un grand besoin de guérison, surtout au niveau de ses attitudes* . . . Elle doit apprendre à s'ouvrir l'esprit conscient, à s'abreuver à la source de la pensée–énergie–connaissance universelle. Alors l'esprit subconscient des humains sera amoureux ou bien peureux, c'est-à-dire rempli d'idées fausses, d'ignorance, de peurs.

LA VÉRITABLE ANIMATION EST INTÉRIEURE

L'ouverture du coeur à l'amour passe par le chemin de la connaissance. C'est la force de vie par excellence. Il faut débloquer le mental d'abord.

Il y a beaucoup d'autres centres d'énergie, ou *chakras*, et d'autres valves à ouvrir. La capacité d'apprécier la profondeur des choses (spiritualité), la capacité de rêver (ambitions, sens à la vie), la capacité de créer, la capacité de penser et de comprendre (intelligence), la capacité de lutter (courage), la capacité de jouir et de ressentir (sensualité, sexualité et toucher), toutes ces forces sont en dedans de nous et il s'agit de les libérer pour créer un humain radieux, resplendissant d'énergie.

Ces centres d'énergie correspondent à autant de plexus, agglomérations et croisements de nerfs, comme le cerveau, surtout les hémisphères cérébraux, la glande pituitaire et l'hypothalamus, la chaîne cervicale sympathique, les plexus cardiaque, solaire, hypergastrique et sacral).

Il s'agit d'ouvrir toutes les valves bien grandes à toutes ces puissances en nous sous forme de corps subtils, ces forces de notre corps énergétique, de notre corps physique et de notre corps spirituel contribuant à nous rendre débordant d'énergie et d'enthousiasme (mot grec, En-THEOS, ou Dieu en dedans).

S'AIMER, C'EST QUOI?

S'aimer, c'est:

1– aller au fond de soi (méditer régulièrement, plusieurs minutes par jour), découvrir son essence (besoins) et sa mission (rêves, ambitions, sens à la vie);

2– s'affirmer, se protéger, en agissant plutôt qu'en se défendant;

3– s'accepter tel quel et vouloir développer son potentiel au maximum;

4– être à l'écoute de son corps, en être responsable, en être un bon gardien; prendre soin de sa colonne vertébrale, se rouler par terre et se masser le dos; se nourrir de façon optimale, boire abondamment de l'eau claire et pure;

5– apprendre à respirer profondément, à pleins poumons de l'air pur plutôt que de l'air vicié (4 000 substances toxiques dans chaque bouffée de cigarette);

6– créer, lutter, se dépasser par des projets; l'homme devient beau et fort à lutter pour se réaliser; jouer toute sa musique;

7– respecter la vie qui est en soi et autour de soi (les autres, la nature).

C'est presque une dévotion . . . N'aie pas peur de trop aimer. Avec le trop-plein tu réchaufferas le monde qui tremble de froid autour de toi . . .

S'AIMER, C'EST SE DÉCOUVRIR . . .
SE DONNER DES RACINES PROFONDES

VA ESCALADER TA MONTAGNE

J'écrivais à mon garçon âgé de 16 ans: « Guy, creuse ... Va vers tes racines et tu deviendras fort et tu seras heureux d'étudier, heureux de vivre . . . Ta vie aura du sens si tu apprends à lui en mettre . . . Tes études auront du sens si elles sont en fonction de ton but . . . Trouve le sens de ta vie, ce pourquoi Dieu t'a créé . . . Creuse . . . Creuse un peu plus chaque jour . . .

« Va vers le sommet . . . Va te trouver . . . Va te découvrir . . . Va vers ta montagne intérieure, chaque jour. Écoute ta voix intérieure (besoins, rêves, sens à sa vie). Deviens un témoin, un observateur. Regarde-toi intérieurement, quelques minutes au moins, chaque soir avant ton sommeil.

« Éloigne-toi du bruit, des distractions de toutes sortes (télévision, agitation, activisme et recherche excessive du « fun »). Va faire le bilan de ce qu tu possèdes et de ce que tu as à développer. L'animal n'a pas à faire le bilan de chaque jour ni de sa vie. Vis pleinement en humain.

« Va apprendre à t'aimer en risquant de découvrir tes besoins, tes ambitions, tes rêves et un sens à ta vie. C'est ta loi. Va apprendre à te motiver par l'intérieur. Suis ta loi plutôt que celle des autres.

« Guy, je te donne rendez-vous au sommet . . . Va vers la plus haute montagne, la tienne . . . celle de ton monde intérieur.

« Le secret et le succès d'une vie ainsi que du bonheur, c'est de creuser vers les profondeurs de notre être, d'y trouver son essence et de l'exprimer.

« En demeurant ton père et ton ami, je ne veux faire que cela, t'aider à te découvrir et à exprimer ton essence.

« Avec amour, Bernard. »

S'AIMER, C'EST DÉCOUVRIR, SE DONNER DES RACINES PROFONDES

L'amour de soi passe par une découverte de soi. S'aimer, c'est se donner, se développer des racines profondes.

Le roseau est faible, il n'a pas de racines; il a peu d'amour pour lui-même et peu de force. Il peut à peine se supporter. Il n'a jamais su développer son propre réseau de support.

Le chêne lui a des racines très profondes. Il est fier et fort. Il se tient bien droit. Il risque peu d'être déraciné. Il est ancré à l'intérieur de lui-même, bien enfoncé dans la terre par ses racines.

S'aimer, c'est se nourrir de ses racines. Il ne peut y avoir d'amour véritable et solide tant que nous nous mentons à nous-mêmes, tant que nous trichons sur notre propre loi ou vérité, c'est-à-dire nos besoins, nos ambitions, nos rêves et notre sens à la vie. S'aimer, c'est justement risquer de se découvrir, de satisfaire ses besoins, ses rêves et le sens à sa vie . . .

Il y a deux cadeaux que les parents doivent donner à leurs enfants avant même qu'ils soient grands afin qu'ils deviennent forts et adultes: des racines, ou le goût d'approfondir, et des ailes, ou le goût de se dépasser.

S'AIMER, C'EST S'AFFIRMER

S'aimer, c'est s'affirmer, se faire respecter dans son nom, car le nom est la chose la plus intime et la plus près de soi.

Lorsqu'on vit dans la peur, on a peur de s'affirmer, de dire aux autres comment on aimerait se faire appeler, se faire respecter. On ne s'aime pas assez.

Ainsi, s'aimer c'est refuser des diminutifs que nous donnent des gens, ou de se faire appeler par des noms parfois offensants, comme Ti-Cul, Ti-Jos, Baby Boy, Bobby, Bernie, Mitch, Ronnie et combien d'autres!

Dans toute relation avec les autres, soit au niveau personnel, soit au niveau d'une organisation, tout le monde a la responsabilité de communiquer clairement ses besoins et de se faire respecter. Sinon, on risque d'être mal compris et d'être accablé par les autres.

L'affirmation de soi est une forme de communication qui est caractérisée par l'amour de soi et par la volonté de faire respecter ses droits, surtout le droit d'exprimer ses pensées, ses sentiments et ses croyances de façon honnête et appropriée tout en ne violant pas les droits des autres. S'aimer, c'est communiquer clairement ses besoins aux autres sans se sentir coupable.

C'est aussi être capable de faire face à la manipulation, souvent subtile, de la reconnaître et de la refuser. Face aux critiques sur ses opinions politiques, ses habitudes sexuelles, la valeur morale de la personne, il suffit d'apprendre quelques tournures, quelques façons peu déplaisantes de s'affirmer.

Il suffit de s'aimer et d'avoir une bonne image de soi pour se tenir debout et répondre à toutes les charges négatives, les attaques, les analyses, les regards ou les remarques désobligeantes. Par exemple, face au commentaire «vous avez l'air d'un vieux dégueulasse», la personne qui a appris à s'affirmer peut répondre: «C'est votre opinion», «Cela peut vous sembler ainsi» ou «Vous avez droit à votre opinion».

S'affirmer présuppose un moi sain et adulte, une image positive de soi et une très bonne confiance en soi.

L'affirmation de soi apparaît dès le jeune âge, dans les premiers mois de la première année. Elle devient forte ou marquée par le désir de l'émancipation, le désir de vivre sa vie suivant ses valeurs et non celles des autres.

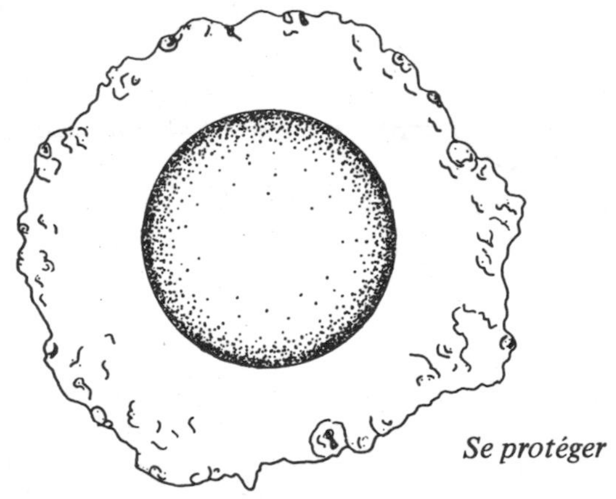

Se protéger

S'AIMER, C'EST SE PROTÉGER

S'aimer, c'est suivre l'exemple de la nature, comme l'ovule sait se protéger contre les facteurs environnants en développant une couche épaisse gélatineuse autour de lui et qu'on appelle *zona pellucida*.

Aimer, c'est développer une couche protectrice autour de soi, une zone neutre épaisse de soi contre le stress, le froid, l'envahisseur, le spermatozoïde, les remarques négatives des gens, le froid extérieur et les critiques de toutes sortes.

Quand il fait froid dehors, on n'hésite pas à se protéger contre les éléments avec un épais manteau. Il en va de même pour le stress. Il est présent ou omniprésent et il est nécessaire à la vie. Il s'agit d'être bien vêtu, de s'exposer sans se faire endommager.

S'aimer, c'est se protéger contre le stress . . . *Le meilleur antidote contre le stress est vraiment l'amour de soi.* Il s'agit de vouloir s'aimer, d'apprendre à se protéger contre le stress environnant ou de la vie quotidienne. Il s'agit de changer d'attitudes, *de laisser tomber des peurs*, des excuses, de la rigidité et toutes les formes de peur, afin de développer une capacité de s'aimer et de se protéger sans condition.

Après plus de quarante ans de recherches médicales à l'Université de Montréal, Hans Seyle nous prêche une *philosophie de vie très importante, celle d'un égoïsme altruiste. C'est le reflet d'une loi fondamentale de la nature.*

Même la nature, au plus profond de notre être, nous indique la façon de vivre. Toutes les cellules de notre être sont centrées sur elles-mêmes et se nourrissent de façon gratuite et sans condition avant de supporter les autres.

Si l'on veut survivre, il faut apprendre à être fort et à le demeurer, à s'aimer, à développer une image saine de soi et une confiance inébranlable en soi.

S'AIMER, C'EST S'ACCEPTER TEL QUEL

ASSIS AU BORD DU QUAI

C'est aujourd'hui lundi
En plein après-midi
Jetant un regard sur ma vie
J'ai sur la tête un chapeau
Les deux pieds qui traînent dans l'eau
Puis pas loin chantent les oiseaux

Je suis un gars qui a du bon sens
J'ai même de très belles dents
En plus j'ai plusieurs talents
J'ai beaucoup de qualités
Ça c'est facile de le deviner
Mais des fois j'ai peur d'aimer

J'ai les deux pieds mouillés
Le bout du nez cassé
Et mon dos il est un peu ruiné
J'ai les cheveux en train de tomber
La bedaine un peu bombée
Je suis quand même « cute » à croquer

Dans ma vie, je veux réussir
Je dois accepter mes désirs
Il faut que je travaille pour les accomplir
Et ça c'est la vérité
Pour être capable de m'aimer
Il faut que je commence par m'accepter

De la guitare je peux jouer
Aussi bien je peux chanter
La boisson je suis capable de m'en passer
La mécanique, c'est un hobby
La lasagne j'aime bien manger
Les belles femmes j'aime regarder.

Je suis un gars pas compliqué
Y'a des choses qui me font pleurer
Y'en a d'autres qui me font sacrer
Ma chambre est à l'envers
La cigarette me tombe sur les nerfs
J'aime boire de l'eau verre après verre
Parfois je suis un peu gêné
J'ai de la misère à parler de moi
Ce qui est dans mes tripes c'est pas mal privé
J'ai finalement réalisé
Que je suis un gars pas mal ok
Et c'est pas si dur que cela de m'aimer.

Mark J. Lefebvre

S'AIMER, C'EST S'APPRÉCIER

S'aimer, c'est se donner des marques d'appréciation (« strokes » ou toutous chaleureux), chaque jour, plusieurs fois par jour.

« Je m'aime parce que je suis une mine d'or pour moi et pour le monde autour, parce que j'ai de nombreux talents à exploiter. Je m'aime parce que je sais qui je suis: je suis fils de Dieu, de l'univers. Je puis manifester les attributs de Dieu, soit l'amour inconditionnel et le pouvoir créateur. Par mon esprit, je crée moi aussi toutes les réalités et les circonstances de ma vie. Je m'aime. C'est pourquoi je prends le temps de me regarder dans le miroir et de me dire tout bonnement: Je m'aime, je suis correct, je suis fort, je suis divin ! » (Bernard Coutu)

Il ne faut pas attendre le jour de Noël ou de la saint Valentin pour avoir la permission de s'aimer, de s'apprécier. On peut même se faire des cadeaux de temps en temps. Que de gens ont peur de s'aimer !

S'aimer, c'est prendre l'habitude d'en donner aux autres et de se donner les deux tiers en premier lieu, sans attendre ni blâmer les autres. S'aimer, c'est prendre l'habitude de demander l'autre tiers aux autres ou tout ce dont on a besoin (surtout de bons amis) en risquant un refus.

Lorsqu'on donne, on doit le faire sans condition, sans désir d'attache, de retenir, de façon gratuite.

Lorsqu'on demande, on doit s'attendre et risquer un refus, un non et sans gêne, sans reproche, demander de nouveau. La persistance paie . . .

Lorsqu'on reçoit un compliment, une reconnaissance, une salutation, un sourire, un merci, il faut l'accepter avec coeur, avec grâce, spontanément, avec une largesse de la main et du coeur.

Ainsi, le cercle de l'amour et de l'énergie est complet. Il passe d'une personne à l'autre et va grandissant . . . *C'est la loi universelle de la réciprocité, du mouvement. Il est énergie.*

S'AIMER, C'EST SE PRENDRE EN MAIN

S'aimer, c'est être responsable de soi. C'est être capable de combler ses besoins, sans culpabilité, sans gêne, sans excuse, sans rationalisation, sans peur de toutes sortes.

S'aimer, c'est être capable de dire oui à soi-même avant de le dire aux autres. S'aimer, c'est savoir se donner deux tiers de ses besoins et d'aller chercher l'autre tiers chez les autres, sans tricher avec soi-même et sans faire mal aux autres.

Il faut apprendre à vivre les mains ouvertes, se donner à soi-même et ensuite on peut donner mieux aux autres.

Par contre, il ne faut pas donner à soi-même exclusivement, c'est de l'égoïsme. Au fond, l'égoïsme est de la dépendance; c'est de la peur, celle d'être dépourvu, de ne pas en avoir assez, une forme de peur de pauvreté.

Il ne faut pas, non plus, tout donner aux autres. Il faut donner d'abord à soi-même, car l'altruisme crée la dépendance plutôt que l'interdépendance, une frustration profonde de n'être pas satisfait et protégé mais plutôt exploité.

J'ai peur de me donner et je blâme les autres s'ils ne me donnent pas en retour, et j'appréhende de ne pas en avoir assez.

UN ÉGOÏSME ALTRUISTE
(Hans Seyle)

Cette philosophie de vie d'un égoïsme altruiste est importante et essentielle. *La plupart des humains vivent par les autres et pour eux-mêmes (égoïsme). Il serait préférable de vivre par soi-même et pour les autres.* C'est ça devenir autonome, interdépendant, adulte. C'est le but de la gestalt. Son fondateur à dit: « Tout ce que j'ai essayé de faire, après 20 ans de recherche et de travail, c'est de montrer aux gens à se prendre en main, à se torcher . . . »

C'est entre tes mains. Être adulte, c'est prendre soin de soi-même plutôt que de jouer le jeu de la sympathie, du pauvre de moi, avec un médecin, ses amis ou ses parents.

S'AIMER, C'EST SE TENIR DEBOUT ET ÉCHANGER
(interdépendance)

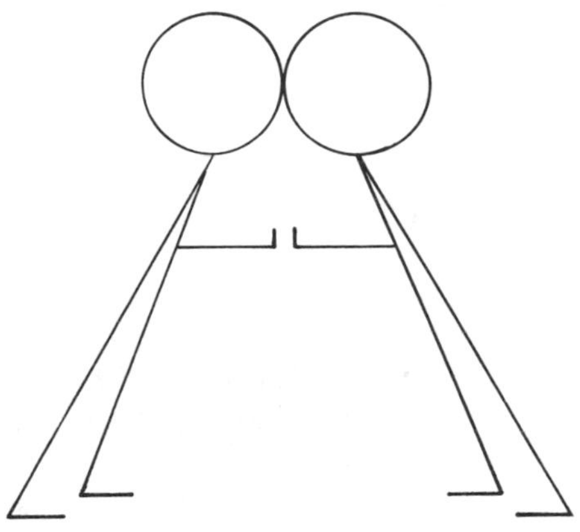

S'AIMER, C'EST NE PAS S'ACCROCHER AUX AUTRES
(dépendance)

Être adulte, c'est se prendre en main plutôt que de jouer le complexe de Cendrillon où un jeune homme, un jour, devient notre protecteur, tandis que je joue le rôle de la femme douce, dévouée, qui a toujours besoin de protection. Tôt ou tard, le prince charmant devient vite le crapaud décevant. Aussi faut-il embrasser bien des crapauds avant de trouver son prince charmant.

S'aimer, c'est devenir réaliste, laisser tomber ses illusions d'autrefois, laisser aller son innocence, laisser tomber les faux espoirs, le prince charmant . . .

S'aimer, c'est se prendre en main . . . être responsable de soi à part entière, à 100 %.

S'AIMER, C'EST PRENDRE SOIN DE SES BESOINS

L'homme a des besoins physiques et émotifs. Il passe la plupart de son temps à essayer de les combler et de les satisfaire.

Par contre, l'homme a besoin d'une petite quantité de nourriture (la plupart de nous mangeons beaucoup trop). d'un peu d'abri pour se protéger contre les éléments (nous vivons souvent dans des maisons beaucoup plus spacieuses que nécessaire).

Nous avons beaucoup de confort qui n'est pas nécessaire à notre survie. Les deux-tiers des gens à travers le monde en ont beaucoup moins et survivent.

L'homme a beaucoup d'autres besoins, surtout affectifs et émotifs. Ces besoins sont aussi importants que les physiques. S'ils ne sont pas comblés, ils seront aussi frustrants et provoqueront de l'anxiété, tout comme les besoins physiques.

Jusqu'à un certain point, la privation de ces besoins émotifs produit une mort en quelque sorte, des névroses, des psychoses, de l'anxiété, de l'agressivité et même de la violence. Nos rues et nos maisons abondent de ces assoiffés d'amour.

Toutefois, peu de gens connaissent réellement leurs besoins émotifs, les communiquent clairement aux autres et risquent de leur faire face.

Pourtant ces besoins émotifs sont plus importants que les besoins physiques: tout homme a besoin d'être vu, apprécié, entendu, touché, serré, satisfait sexuellement.

Il doit pouvoir agir en toute liberté, faire à sa façon, grandir à son rythme, faire ses propres erreurs, apprendre.

Il a plus besoin d'apprendre à s'accepter lui-même que d'être accepté par les autres. Tous ces besoins sont continus et plus spécialement résumés dans l'amour. L'homme a besoin d'amour . . . d'amour de soi.

Tant et aussi longtemps qu'on ne risque pas de découvrir ses besoins profonds, de les admettre et de les rencontrer sans peur, sans condition, sans excuse, on ne s'aime pas en profondeur, on est toujours partiellement frustré, mal à l'aise, nerveux, écoeuré, tanné, fatigué . . .

On se crée une source d'énergie au fond de soi en comblant ses besoins. L'amour engendre de l'énergie. Il est source d'animation. C'est notre dynamo.

« La véritable animation est intérieure, basée sur une image saine de soi, une confiance inébranlable et un amour de soi sans condition.» (BPL)

S'AIMER, C'EST DÉVELOPPER UNE IMAGE POSITIVE DE SOI

S'aimer, c'est développer une image positive de soi, se mettre le meilleur tatouage possible dans notre esprit conscient et subconscient.

Puisque nous pensons en terme d'images, il est excessivement important d'adopter une image positive de soi et de se reprogrammer une image de façon à ce qu'elle soit la plus positive possible. De se voir beau, gagnant, de se visualiser tel qu'on veut être.

Il est très important que la disquette au centre de l'ordinateur qu'est notre subconscient soit remplie d'images positives de soi, car elle va se dérouler souvent, automatiquement, à notre insu, sur l'écran de notre esprit conscient.

J'ai beaucoup de difficulté à concevoir le phénomène de punk-rock comme un reflet d'une programmation positive.

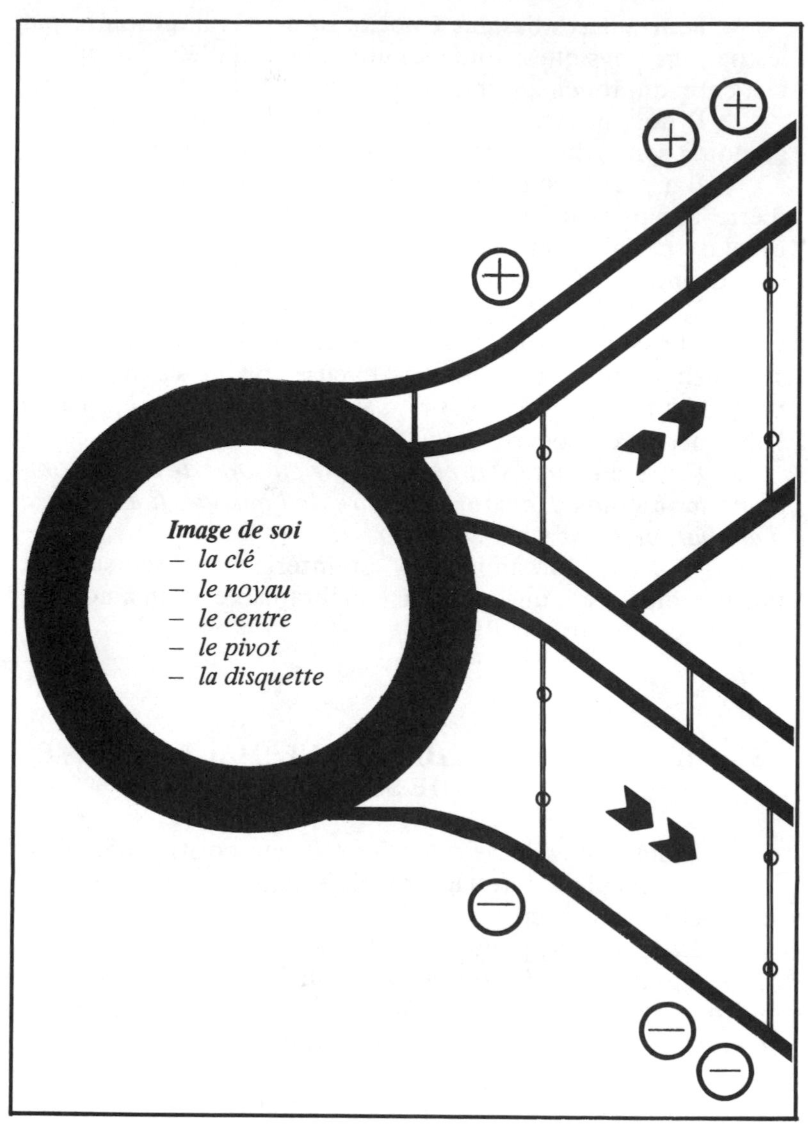
Image de soi
– la clé
– le noyau
– le centre
– le pivot
– la disquette

Est-ce que l'image extérieure projetée est un indice ou un signal d'un profond malaise chez ces individus?

Cette image de soi est au coeur du développement de la personne. Une image de soi positive va favoriser l'action, le risque, la persévérance. Lorsqu'un petit succès est obtenu grâce à une image positive de soi, la personne aura tendance à répéter l'action positive et à développer la confiance en elle-même.

Développer une image positive de soi, c'est le point de départ vers le succès. Si l'image de soi a été programmée par erreur de façon négative, il n'appartient qu'à nous d'éliminer ces messages en enregistrant de nouveaux messages plus positifs par-dessus. *La répétition et une ouverture d'esprit ou un vouloir s'aimer et se développer sont les prérequis d'une telle programmation.*

S'aimer, c'est se bâtir, se programmer la meilleure image possible de soi, le plus tôt possible, de préférence à l'aube de sa vie.

S'AIMER SANS CONDITION, C'EST QUOI?

Tout le monde aime plus ou moins bien, à des degrés différents; tout le monde s'aime plus ou moins bien, aussi.

La majorité des gens s'aiment davantage avec leur tête et, dès qu'il s'agit de faire des actions ou des gestes concrets, ils ont des excuses et des raisons nombreuses pour ne pas les faire, pour ne pas prendre soin d'eux.

S'aimer avec son coeur implique du courage, de l'action, de la décision, du risque. La capacité qu'ont les gens de prendre soin d'eux, de respecter leur corps, de s'affirmer et de combler tous leurs besoins, varie considérablement d'un individu à l'autre.

La majorité a peur de s'aimer véritablement sans condition; la majorité se sent coupable.

S'aimer de façon égoïste et sans condition, sans excuse, tout en gardant un certain altruisme, fait peur. C'est embêtant, difficile et différent. Cela requiert du courage et du coeur.

C'est là le test le plus difficile d'une vie, celui où la personne se regarde dans le miroir, se trouve belle, aimable, capable, et qu'elle décide aujourd'hui de s'aimer un peu plus, un peu mieux, d'être pour elle-même son meilleur ami, un ami qui l'aimera sans condition, sans excuse, sans peur . . .

« On a juste assez de religion pour se haïr (se critiquer, se juger) mais on n'a pas assez de spiritualité pour s'aimer, s'accepter les uns les autres sans condition. » (BPL)

POURQUOI DIEU M'A-T-IL CRÉÉ? QUEL EST LE SENS DE MA VIE, MA RAISON D'ÊTRE?

C'est quoi aimer? Être stimulé, enthousiasmé, débordant d'énergie ou d'amour, c'est quoi?

Quels sont les projets de ta vie qui te garderont stimulé et vivant durant les quarante prochaines années?

L'Amour est un don, un partage . . . Abandonne tes peurs . . . Ouvre les mains . . . Donne à toi d'abord, aux autres ensuite.

Le secret pour être fort, pour être vivant, c'est de s'aimer sans culpabilité, sans excuse, de se nourrir par ses racines.

Brise les chaînes de tes pensées, de tes peurs, de tes pensées négatives et tu seras libre (Jonathan). Tu verras la lumière, tu seras libre de chanter, de jouer toute ta musique et surtout, tu seras heureux et excité, rempli d'enthousiasme.

La réponse à toutes tes questions est l'amour, l'amour sans condition. Pour aimer, tu dois apprendre à laisser aller.

La réponse à toutes tes questions, *elle est dans le vent. Tu dois apprendre à laisser aller* . . . Tu dois apprendre à t'aimer davantage, à développer une plus grande capacité à aimer toi-même, les autres ensuite, ton travail, ton environnement, ton Dieu, Père créateur, Amour, Soleil, dont tu n'es que le pâle reflet ou une infime parcelle mais importante dans Son Rayonnement.

Pourquoi? Pourquoi? *Laisse faire . . . Aime . . . Laisse faire . . . Aime . . .* Et tu rayonneras . . . Tu réchaufferas autour de toi . . . *Agis au lieu de questionner sans fin . . .* C'est dans l'action qu'on se définit, qu'on devient fort . . . Ne t'arrête pas avant d'avoir atteint le but . . .

C'est dans la mesure où tu diras oui à l'amour, oui sans condition à toi-même d'abord, oui aux autres ensuite, oui au Créateur, oui à la vie, que tu t'épanouiras, que tu seras un enfant libre . . . que tu pourras danser la danse du Tao . . . que tu pourras chanter la chanson du vent . . . que tu seras heureux . . . très heureux, même sur terre.

Si tu manques d'énergie, si tu es toujours fatigué, c'est que tu n'as pas trouvé la source de ton énergie . . .

La source de ton énergie est en toi . . . C'est le secret le plus étrange. L'énergie a sa source dans ta façon de penser, dans ton esprit, dans ton attitude . . .

Apprends à t'aimer mieux . . . à avoir une attitude mentale positive . . . et tu seras toujours rempli d'énergie, d'enthousiasme , , , et la vie sera plus stimulante pour toi aussi . . . « Je crois qu'on ne peut mieux vivre qu'en cherchant à devenir meilleur, ni plus agréablement en ayant la pleine conscience de son amélioration.» (Socrate)

AMOUR INCONDITIONNEL

Lors d'une visite à la pyramide du soleil près de Mexico, je faisais part à notre chef d'équipe de mon ennui à voir et entendre tous ces colporteurs de clinquants, même au sommet de ces temples, endroits de méditation et de recueillement, et devant la magnificence du paysage. Et ce dernier eut vite fait de me répondre: «Eux aussi ont le droit d'être là, même avec leur inconscience.»

Si on veut pratiquer l'amour gratuit, on ne doit pas laisser la notion de bien et du mal entrer dans notre considération ou notre décision d'aimer et d'accepter cette personne. On ne peut pas décider de ce qui est bon pour une autre personne et l'apprécier dans la mesure où elle suivrait notre avis ou notre conseil. Chaque individu a le droit de faire ses choix, indépendamment de notre bon consentement. Quand on aime un être de façon inconditionnelle, on lui laisse toute la liberté d'être lui-même et de faire ce qu'il doit et veut faire. Aimer sans attache, sans ficelle d'aucune sorte, c'est la seule vraie façon d'aimer. C'est l'amour le plus pur, presque divin.

Accepter tout de la vie avec un sourire, sans jamais juger, critiquer, chiâler ni analyser toute circonstance ou toute personne, c'est cela la sagesse, l'art de vivre ou l'amour véritable, gage de sainteté et de santé parfaite.

Vivre avec sa tête et son coeur, mais en équilibre, en harmonie, non en prédominance cérébrale ou intellectuelle ou rationnelle . . . Au lieu de faire l'amour, on le partage, on le donne à soi et aux autres. Au lieu de tomber en amour plusieurs fois dans notre vie, il vaut beaucoup mieux vivre dans l'amour continuellement. Au lieu de mourir pour son pays, il vaut mieux vivre pour son pays et développer son plein potentiel et celui de son pays.

LA VÉRITABLE PAIX

Le chemin de la paix dans le monde extérieur débute par la paix intérieure, la paix avec soi-même. Le chemin de la paix passe par la justice, une autre forme d'amour.

Pour ce faire, il faudra beaucoup d'amour envers soi-même en trouvant ses besoins, en les comblant et en donnant un sens à sa vie, à ses rêves, à ses ambitions, en les manifestant et en les réalisant.

C'est seulement en se nourrissant par ses racines à la source de ses besoins et de ses rêves que l'homme devient fort et se sent bien en paix avec lui-même et le monde autour de lui.

En se donnant une spiritualité, une profondeur, l'homme est bien énergisé et solide. L'homme qui a su se brancher sur le spirituel en creusant vers ses racines devient de plus en plus fort et épanoui, et il peut se projeter vers le monde et le ciel.

Bienheureux le faible d'esprit (équilibre entre la capacité de penser et la capacité de sentir), car il verra mieux . . . L'Évangile des huit béatitudes est une affirmation constante de l'essentiel du code du comportement humain.

Il vaut mieux être moins brillant et plus équilibré, heureux, en paix, que d'être super-rationnel et déséquilibré, malheureux, frustré.

VERS UNE REPROGRAMMATION D'AMOUR

« Il y a des gens qui ne voient jamais la lumière jusqu'au jour où ils meurent. »

La lucidité est la base de tout . . . ou mieux *la lucidité, la connaissance par l'ouverture d'esprit est le commencement de tout.* Une fois que je suis conscient de mes besoins et de mes ambitions, je peux agir en responsable, choisir et donner ma réponse, une plus juste envers moi et la vie.

À 37 ans, avec la méditation j'ai commencé à réfléchir sérieusement sur le sens de ma vie. Le silence, la tranquillité, la paix de l'esprit favorisent la découverte de soi, de ses besoins et de ses rêves, le changement, la croissance personnelle, une vie stimulante remplie d'énergie de toutes sortes.

Un soir, en regardant le soleil plonger à l'horizon enflammé au bord de la rivière des Outaouais, j'écoutais une tante religieuse, une âme mère spirituelle pour moi, me confier comment il est difficile de prêter sa liberté à d'autres humains et de suivre ses obédiences (ordres de la Supérieure). « C'est le plus aimable, le plus vertueux, qui laisse aller, laisse faire et abandonne l'argument. »

En insistant pour gagner un argument, pour vivre en entêté, on se fait mal et on s'aliène les autres et on s'isole des autres dans une communauté, un couple ou une famille. « Qu'il est difficile d'aimer » comme le dit la chanson.

Mais avec l'amour je franchirai les montagnes et toutes les frontières . . . et je sortirai toujours vainqueur.

Il me semble que j'ai vécu ma vie en somnambule jusqu'à l'âge de 40 ans. J'ai l'impression de sortir d'une torpeur, d'un sommeil profond après avoir fait une démarche intérieure. C'est alors qu'une vie mieux remplie, ma pleine vie, a commencé pour moi.

Afin de vivre une vie plus stimulante, je devais entreprendre ce cheminement intérieur, ce voyage vers le coeur. Je devais augmenter ma capacité d'aimer.

Le passage de l'aigle à 3 980 pieds sur le mont Mansfield mène vers le sommet. Ce passage dans le développement humain, c'est d'apprendre à laisser aller.

Rien n'arrive jusqu'au jour où je meurs, où je laisse aller mes anciennes peurs, ma vieille peau, où je laisse aller les images ou pensées négatives au sujet de moi, des autres et du monde.

J'ai enfin vu la lumière à 40 ans . . . Beaucoup de gens ne voient pas la lumière jusqu'au jour où ils meurent. Je vais prier pour eux afin qu'ils la voient eux aussi, un jour . . . le plus tôt possible.

Trop d'humains vivent des vies de frustration, de platitude, de fatigue, d'ennui, une petite vie, au lieu de vivre pleinement. Ils vivent des moitiés de vie plutôt que leur vie «au boutte», bien remplie, stimulante.

Trop d'humains ont la tête dans le sable ou vivent comme des somnambules, l'esprit fermé à des valeurs et à des informations nouvelles. Ils sont conservateurs, traditionalistes. Ils ont peur du changement. Ils ont une rigidité mentale, un comportement rigide, routinier, résigné.

Trop d'humains à l'esprit orgueilleux et suffisant sont bloqués par l'esprit et retiennent leurs préjugés raciaux, leurs notions préconçues sur certains groupes de gens. Ils s'empêchent de bien les connaître.

Beaucoup d'humains vivent dans la superficialité et dans l'agitation. Ils s'affairent ici et là, telles des fourmis, toute une vie durant.

Par contre, d'autres vont choisir un chemin de croissance, leur voyage intérieur, le chemin du bonheur, de la lutte, du changement et du dérangement.

Parmi les nombreuses psycho-technologies (ou chemins de croissance) par lesquelles un humain peut commencer à s'intérioriser, se découvrir, s'interroger et se reprogrammer, il y a les plus physiques, comme les arts martiaux (entre autres le karaté et le judo), les sports, la danse, qui augmentent le mouvement du corps et la lucidité. D'autre part, certains sont plus intellectuels, comme le yoga, la méditation, l'analyse transactionnelle, la gestalt, la psychanalyse, le journal, les collages, l'art, la pénitence, etc.

La douleur, la souffrance, la solitude, les luttes avec les amis, l'isolement, les malaises de toutes sortes, le silence et la détente favorisent une plus grande conscience ou une plus grande lucidité.

Peu importe la méthode, le processus sera le même, il y aura une découverte du Moi et une redécision de se prendre en main, de s'aimer davantage, d'avoir une meilleure image de soi ou une guérison de ses attitudes. Par la suite, il y aura une augmentation ou un surcroît d'énergie qui permettra une projection de l'homme vers le monde, une plus grande créativité, une plus grande réalisation, une projection de soi dans des activités ou des projets et vers les êtres.

Pendant que certains vont choisir de développer des désordres psychosomatiques, tels des ulcères et des céphalées, ou s'attirer des maladies quelconques, d'autres vont choisir de changer certains éléments de leur programmation initiale.

Certains vont s'engager sur le chemin de la croissance seulement pour faire un peu de changement (poudrage). Le changement en profondeur ne les intéresse pas.

D'autres vont opter pour un changement en profondeur, pour le grand ménage ou le grand nettoyage. Ils vont même accepter la douleur parce qu'en eux, ils sentent cet appel pressant, ce désir intense de changer.

Sans le vouloir et sans le savoir consciemment, nous avons joué, ma femme et moi, le scénario de gens raisonnables, entêtés, intelligents, insistant pour avoir raison occasionnellement, à chacun notre tour et souvent en même temps.

Tels nous étions programmés, tels nous avons joué notre programmation initiale. Nous n'étions pas de bons amis l'un pour l'autre. Il y avait trop d'entêtement, de rationalisation, d'intellectuel et pas assez d'émotivité, de coeur.

Après une séparation physique, nous avons pu apprécier et comprendre la dynamique dans laquelle nous étions emprisonnés.

Seuls, dans le silence et l'éloignement physique, nous pouvions arriver à une meilleure décision pour nous deux. Il faut du courage et de la détermination pour effectuer une séparation et faire face au barrage des critiques des parents et amis qui désapprouvent et ne veulent pas comprendre, ni intérieurement ni ouvertement; ils regardent le couple plus avec la tête qu'avec le coeur.

Ceux qui n'approuvent pas la séparation ne sont pas compréhensifs envers ceux qui souffrent du manque de paix, de l'aliénation et de la solitude. Ils n'apprécient pas le besoin de paix et d'affection ressenti par les autres.

Mais nous avons été privilégiés l'un et l'autre, car nous étions entourés de parents compréhensifs à notre égard.

Comme dans de nombreux autres cas, on a peur de laisser aller. On continue donc à blâmer et à critiquer l'un ou l'autre, plutôt que de regarder à l'intérieur de soi et de développer sa capacité de s'aimer avant tout et ensuite les autres.

Mais, à 35 ans, je commençais à ressentir un malaise profond et j'ai écouté cette voix intérieure me dire: «Écoute... entends... ressens... vois... aime...»

À 35 ans, j'avais soif de paix, de ce silence intérieur et extérieur. Je me sentais un peu comme un matou en cage à qui on donne des miettes de sexe... J'avais soif d'amour, passionné, gratuit, sans condition. Je ne me sentais pas assez aimé... Je me sentais mal aimé... J'étais frustré... Je ne me sentais pas libre...

Et Gerry, mon professeur de karaté, m'a indiqué le chemin qui mène vers Esalen, centre de croissance en Californie, véritable serre chaude au bord du Pacifique.

Puis, ce furent John, Don, Vince, Kitt, Ken, John, Janet et j'en passe, tous mes professeurs, m'aidant à passer les étapes de ma croissance l'une après l'autre dans ce long processus de la découverte et de la reprogrammation de soi.

Enfin à 40 ans, mon enfant libre a revu le jour de nouveau... Quelle extase! quelle liberté! J'ai eu l'impression de vivre une année de 36 mois tellement je vivais pleinement ma vie, tellement j'étais heureux!

À 40 ans, j'ai connu l'amour passionné et la vie qui bouillait en sourdine au fond de moi depuis toujours... Le volcan était demeuré jusqu'à ce jour à demi-éteint, à demi-explosant, menaçant, frustrant.

À 40 ans, il fallait choisir une vie correcte, normale, selon les normes religieuses et sociales, ou opter pour une plus grande capacité d'aimer, pour l'amour passionné, adulte plutôt que puéril. Fidèle à moi-même, j'optais pour un programme de vie pleine, remplie d'amour passionné, sans peur d'être critiqué, méprisé, désapprouvé par les autres.

Et je suis heureux d'avoir été fidèle à moi-même, à ma passion de vie. Je ne regrette rien . . . Heureux est celui qui voit la lumière avant de mourir . . . Heureux est celui qui voit la lumière à 15 ans, 20 ans ou 25 ans ou même à 40 ans . . .

Noël 1982 fut pour moi une fête merveilleuse. J'avais atteint ma vitesse de croisière. Je vivais l'amour dans sa plénitude. Noël est une journée de célébration lorsqu'on vit d'amour profond les 364 autres journées de l'années.

Mais, pour ceux qui ont peur d'aimer, de donner et de vivre, Noël devient un jour de solitude et de reproches. Cela explique l'abus d'alcool, de drogues, de tentatives de suicide et de dépressions autour de cette période.

Il est important dc s'aimer non seulement à Noël mais chaque jour de l'année. Lorsqu'on est très aimant envers soi-même, on peut aimer les autres et créer des heureux autour de soi. Alors, chaque jour de Noël devient un véritable jour de célébration, un jour rempli de sens et d'amour.

Pour moi, Noël est une trinité d'amour, de partage et de paix. À Noël 1981, la devise fut: « Tiens ta lampe allumée . . . Montre le chemin . . . Éclaire les gens autour de toi. » À Noël 1982, j'ai souhaité que la famille Lacroix passe au feu de l'amour sans condition. À Noël 1983, ce fut un Noël blanc, de paix, de solitude pleine. Noël 1984 et tous les autres à venir seront des Noël de paix, de bonheur et d'enivrement, j'en suis assuré. Pour toi, mon ami, je te souhaite de beaux Noël, de vrais Noël.

Le monde entier aspire à la paix et au bonheur. Pour cela, il faudra y mettre beaucoup plus d'amour. Chacun devra augmenter individuellement sa capacité d'aimer. Les jeunes surtout aspirent à la paix. Un jeune de 15 ans, suicidaire, me faisait la liste de ses besoins: « J'ai besoin de me sentir mieux, en paix avec ma famille et dans le monde; j'ai besoin d'être aimé, de rire; j'ai besoin d'amis, d'être compris, d'aider les autres; j'ai besoin de m'aider à devenir meilleur. »

Anne Frank écrivait, dans son journal en date du 31 janvier 1944: « Qu'y a-t-il de plus beau au monde que de regarder la nature par une fenêtre ouverte, entendre siffler les oiseaux, les joues chauffées par le soleil et d'avoir dans les bras une personne que l'on aime. Son bras autour de moi, je me sens si bien, si sûre. Tout contre lui, sans dire un mot. Il n'est pas possible que ce soit mal car cette tranquillité est bienfaisante. Oh, pourvu que rien ne vienne nous déranger, jamais, même pas Mouchi! A toi, Anne.»

Au cours d'une vie, on rencontre beaucoup de gens avec des idées différentes. Si on garde sa tasse à demi-remplie, ont peut apprendre beaucoup de leçons. Si on a une véritable curiosité d'enfant plutôt qu'un esprit rigide, sceptique, on peut apprendre beaucoup de la vie.

J'ai appris de nombreuses leçons auprès des gens rencontrés, soit dans mon cabinet de consultation ou dans les salles d'urgence, soit en privé ou dans la rue. Des mécaniciens, des ouvriers, des chômeurs, des déprimés, des suicidaires, des mourants, des jeunes, des vieux, certains ont été des professeurs pour moi.

À l'âge de 40 ans, j'ai appris à me donner davantage, à me donner à moi-même et à d'autres. J'ai augmenté ma capacité d'aimer. À 40 ans, j'ai le goût d'aller vers le large, vers d'autres horizons, de me dépasser . . . Mais je ne dois pas perdre de vue le rivage, là où mes enfants, mes frères Jonathan m'attendent . . .

Le processus de croissance a été graduel, très lent et douloureux . . . et dispendieux . . . Mais la libération en valait le coût. Ce fut comme une nouvelle naissance, un peu comme le passage de l'aigle vers le sommet.

Il s'agissait de me débarrasser d'un intellectualisme à outrance et d'augmenter ma capacité d'aimer. Maintenant que j'ai vu le jour, je veux vivre, aimer et ne plus vivre en frustré. Je veux aider le plus de gens possible à faire la même chose.

J'ai le goût de jouer toute ma musique, d'enseigner l'art de vivre. Maintenant, je veux rayonner, je veux m'épanouir. Jamais plus je ne veux retourner dans cette obscurité. Je m'en vais vers le succès, la lumière . . . Je me dois d'aller vers le succès.

Ce soir, je regarde les mouettes très nombreuses qui se dirigent en bande vers la lumière dorée du soleil couchant sur la rivière. Elles s'amusent dans leur vol avec les courants d'air chaud . . . C'est leur destinée, leur succès.

Je dois le montrer aux autres, à beaucoup d'autres . . . à mes enfants d'abord, mes quatre premiers Jonathan . . . à tous les autres ensuite . . .

VERS UN PROGRAMME DE SUCCÈS

C'est dans l'action, la lutte et l'effort que l'homme se définit, se développe, brille . . .

Voici la prière d'un soldat inconnu, confédéré du sud de la Caroline, que j'ai traduit aussi fidèlement que possible:

J'ai demandé au Seigneur la force afin de vaincre.

J'ai été affaibli afin d'apprendre à obéir humblement . . .

J'ai demandé la santé pour accomplir de grandes choses.

J'ai été accablé d'une infirmité (la peur) qui m'a forcé à me dépasser . . .

J'ai demandé la richesse afin d'être heureux.

J'ai été appauvri afin d'apprendre une certaine sagesse . . .

J'ai demandé le pouvoir et le prestige afin d'avoir l'admiration des gens.

J'ai été affaibli afin de reconnaître le besoin de Dieu . . .

J'ai demandé l'abondance de biens matériels afin de jouir pleinement de la vie.

J'ai reçu la vie comme cadeau principal afin de jouir de toutes choses . . .

Je n'ai rien reçu de ce que j'avais demandé mais tout ce que j'espérais ardemment . . .

Un peu malgré moi, mes prières silencieuses ont été exaucées . . .

Je suis richement comblé de faveurs entre tous les hommes . . .

À 40 ans, je devais aller à l'école de la vie et de la lutte. Je devais apprendre l'art de la persuasion, de la motivation, des relations humaines et comment se faire des amis.

À 40 ans, je voulais devenir un bon professeur. Pour cela, je devais apprendre à devenir un bon vendeur d'idées, ou l'art de la vente, de la persuasion et de la motivation. De plus, je devais devenir un bon leader, un chef.

Afin d'arriver à l'excellence, je devais devenir conscient de mes attitudes et développer une attitude mentale positive. Lors d'un cours de Dale Carnegie, j'ai été impressionné par l'heureux mélange d'optimisme, de jovialité et de stress dans ce cours de relations humaines d'une durée de dix semaines. Aussi devais-je remporter le stylo du plus grand développement (highest achievement award). J'ai dû payer 400 $ pour apprendre, à 38 ans, que les 3 C (condamner, critiquer et chiâler: se plaindre, se lamenter) ne mènent à rien, si ce n'est à plus de négativisme.

Mais ce bref entraînement vers une attitude mentale positive devait être la force extérieure, le coup de pied nécessaire ou le coup de poing entre les deux yeux, pour me motiver à déménager, à me mettre en branle, à sortir de ma léthargie grandissante et envahissante.

Plus tard, je devais vivre une expérience analogue au club Optimiste. Je me sentais bien avec des gens positifs . . . Une oasis de fraîcheur émotive dans le dédale des misères humaines des salles d'urgence, la résultante logique d'attitudes négatives.

J'étais mûr pour une expérience de vie dans le système Amway où l'optimisme, la chaleur humaine et l'attitude mentale positive règnent comme une règle d'or.

Les attitudes sont la clé de voûte du succès ou de l'échec, de la santé à son meilleur ou à son pire. Devenir conscient de mes attitudes plutôt négatives, c'est définitivement la première étape de ce cheminement vers le succès.

Avant de prendre la décision de changer mes atttitudes, il fallait me regarder bien franchement dans un miroir et me découvrir une attitude normale, ordinaire, plutôt négative. Comme la plupart des gens, j'espérais positivement et je pensais négativement, dans les difficultés et dans l'action . . .

Aussi ai-je dû apprendre à faire face, à affronter les attitudes négatives chez les autres sans me faire de mal. Par exemple, un soir où j'enseignais bénévolement les attitudes et les soins aux personnes âgées et les malades chroniques, j'ai entendu une remarque assez désobligeante quelques minutes avant de commencer le cours. À la porte de la salle de classe, un individu s'est présenté. Il a demandé combien d'argent je recevais. Il était persuadé que j'étais sûrement payé pour cette session. Il s'est empressé de s'exclamer: « Le docteur peut faire n'importe quoi pour faire de l'argent. » Quand il a su que c'était de façon strictement bénévole, il a refusé de le croire, il est demeuré sceptique, soupçonneux, et a finalement disparu . . .

Graduellement, il est devenu évident que je devais changer mes attitudes, mon ensemble d'idées et de croyances envers moi-même, envers les autres et le monde, afin de réaliser mon plein potentiel.

Cette programmation de l'esprit impliquait une répétition des idées fortes, positives, de succès ou une reprogrammation en me servant d'autosuggestions (suggestions fournies par moi et que je projetais vers mon subconscient). *On se fait toujours laver le cerveau, bombarder l'esprit d'idées positives ou négatives. Il n'appartient qu'à nous d'accepter ce qui est bon et de rejeter ce qui n'est pas bon. Il n'appartient qu'à nous de nous laver le cerveau avec des idées positives de notre choix. Devenir adulte, c'est prendre charge de sa programmation mentale, du contrôle de sa pensée. C'est entre nos mains.*

Une fois que j'ai trouvé la route vers le succès, que j'ai eu découvert les lois qui régissent l'établissement d'une richesse, du succès et du bonheur, je décidai d'y aller, d'aller chercher les belles choses que la vie peut nous offrir.

À ce moment-là, il s'agissait d'entraîner mon esprit, de développer une attitude mentale positive, une grande capacité de penser. Il s'agissait de changer, de laisser tomber certaines attitudes et certains comportements négatifs.

C'était le prix à payer (discipline) vers une lente et systématique reprogrammation de mon esprit (mind training vs body training). Les athlètes paient le prix. Les entraîneurs d'athlètes aussi . . . aussi bien que les motivateurs et les chefs.

Notre monde est rempli d'attitudes négatives, de peurs de toutes sortes, de masques sous les excuses, la culpabilité, les doutes, le scepticisme, l'orgueil, la rigidité, l'insistance pour avoir raison, la jalousie, la peur de changer, les raisons, la peur de tout et de rien, etc.

Notre monde vit sous l'influence de la peur, du négativisme, du pessimisme, plutôt que de l'amour, du positivisme et de l'optimisme. Il faut vite apprendre à reconnaître les attitudes négatives, les affronter et se protéger. Nous sommes noyés, imbibés jusqu'aux oreilles par de l'information négative provenant des médias d'information, la télévision, la radio, les journaux, et par les amis.

Il n'appartient qu'à nous de contrôler cette pollution mentale, de nous protéger contre un tel lavage négatif du cerveau, de notre esprit conscient et subconscient. Ce que l'humain pense de lui-même et des autres, son image ou son attitude à l'intérieur de lui, sont le moyeu de la roue ou de l'escalier roulant, qui mène au succès, au bonheur et à la santé. Une attitude positive est remplie d'idées positives et de croyances basées sur l'amour plutôt que sur la peur.

VERS UNE PATERNITÉ AGRANDIE

Maintenant que j'ai passé le cap de la quarantaine, ma paternité prend de nouvelles dimensions; elle dépasse les cadres d'une famille, d'une maison, d'un foyer. Je me sens père si je stimule la croissance de plusieurs individus, de centaines d'autres . . . J'ai besoin de défis.

Ma paternité devient plus profondément intellectuelle, émotive et spirituelle. J'ai le goût d'enseigner à mes grands enfants et à mes petits-enfants futurs le secret de la vie, ainsi qu'à un très grand nombre de jeunes.

Trop de jeunes sont sur les pavés de la vie, vivant dans l'ignorance, sans espoir de succès ou même d'amour. Une paternité spirituelle implique un engagement envers eux, un enseignement des attitudes nouvelles plus positives envers eux-mêmes, les autres et la vie. C'est le but et la force motrice de Jonathans Unlimited Potentials (Les Jonathan sans frontières).

Je veux rejoindre ces nombreux jeunes, garçons et filles, éparpillés dans l'univers, qui se meurent d'ennui, de solitude. Je veux les rejoindre et les serrer dans mes bras et leur dire:

« Viens. Ne sois plus seul . . . Viens lutter.

« Tu as un grand frère qui t'aime, qui veut te montrer à te débarrasser de tes peurs et à foncer dans la vie. Viens jouer le grand jeu de la vie, viens te battre avec nous . . . Laisse tomber tes peurs, c'est la seule façon de devenir plus aimable et plus heureux. Deviens un ami sans parent pour toi-même, tu ne seras plus seul ni désespéré.

« Tu peux choisir l'amour et le succès comme une solution valable à ta situation présente. Permets-moi d'être ton guide ou ce doigt qui pointe vers la lune et les étoiles. Une fois que tu les vois, tu n'a plus besoin de ce doigt; tu peux y aller avec ta programmation. C'est entre tes mains, tu deviens responsable . . .

« Face aux conflits modernes et aux menaces de destruction et de paix illusoire, tu peux toujours choisir une attitude mentale positive plutôt que négative, soi-disant réaliste. C'est plutôt un refus d'engagement envers la vie et envers soi-même, une peur de se prendre en main.

« Souvent j'ai versé beaucoup de larmes en écrivant ces pages et j'ai souffert avec toi. J'ai ressenti ta tristesse et ton désespoir. Moi aussi, j'ai été seul très souvent, terriblement seul . . .

« J'ai dû à un moment donné cesser d'écrire . . . C'est arrivé lorsque je conduisais de Genève à Strasbourg. J'ai dû m'arrêter en bordure de la route tellement les larmes et l'émotion m'envahissaient. J'étais triste, malheureux pour toi. Je ressentais ton angoisse, ta douleur. Et j'ai pris la décision d'écrire ce livre de motivation. »

La sympathie est une forme d'amour par laquelle on offre une consolation ou un réconfort à un ami. L'empathie, c'est ressentir la douleur vive, le malaise d'un ami dans le besoin ou le désespoir. L'empathie, c'est avoir mal dans les mollets quand on regarde le film **Rocky** ou Terry Fox dans leur lutte.

À plusieurs reprises j'ai souffert avec tous ces gagnants potentiels parce qu'ils manquaient de direction et d'amour, parce qu'ils ne connaissaient pas les techniques et les attitudes du succès, les principes ou les lois qui gouvernent le succès de toute une vie . . .

Grandir dans l'amour vrai, inconditionnel, et vers le succès ou l'excellence, c'est le seul véritable enjeu de la vie.

J'avais le goût de le montrer à beaucoup de gens. L'amour, c'est cette force, cette dynamo qui engendre la réussite.

Si on veut devenir un gagnant, il suffit de développer une attitude mentale positive afin d'attirer beaucoup plus d'énergie de l'univers vers soi, de pratiquer ces lois ou ces principes du succès.

Pendant deux ans, j'ai écouté à répétition des cassettes sur la psychologie du gagnant par Denis E. Waitley et autres gagnants. Je les ai même fait écouter à plusieurs reprises à la maison, au grand désespoir des membres de ma famille. Je n'étais pas conscient qu'avant d'apprendre à gagner, on devait apprendre à s'aimer davantage.

J'étais obsédé par l'idée de la réussite, mais je n'avais pas le contrôle ou les leviers de commande pour l'attirer. Le succès ne me courait pas après. J'avais à peine la capacité de marcher vers le succès. Je ne pouvais pas courir au succès. Je devais apprendre à le courtiser.

« On ne gravit jamais une montagne à la course . . . mais à la sueur de son front . . . petit à petit . . . C'est pour cela que le succès est une revanche.» (André Blanchard).

JE DEVIENS UN VENDEUR

Mon prochain objectif fut de devenir bon vendeur. Pour cela, je devais développer un niveau de confiance en moi à un point tel que les refus de toutes sortes ne viendraient pas perturber ma paix intérieure, ou mon image positive de moi-même.

Avec cette confiance inébranlable, non seulement pouvais-je enseigner l'art de vendre et d'être un bon vendeur, mais encore pouvais-je enseigner la médecine préventive, les soins aux mourants, les attitudes mentales positives, les principes du succès et motiver les gens à changer leur style de vie en changeant leurs attitudes.

Cela devait être le prochain défi de ma vie. « Ce que tu cherches te cherche.» (Gaétan Desmarais)

J'avais le goût du dépassement, de l'excellence, de mon épanouissement personnel. Tout humain a ses besoins intérieurs et entend la voix de son Jonathan personnel qui n'est pas encore amorti ou engourdi dans la routine et la passivité.

À la suite d'un recueillement régulier, d'une méditation ou d'un cheminement intérieur, j'étais prêt à prendre un nouveau départ ou à apprendre à une nouvelle école. Je devais prendre une autre ascension dans mon développement personnel. Je n'étais pas conscient de l'ampleur du domaine de la vente et j'étais ignorant, ou très peu initié dans ce domaine.

Vivre, c'est vendre. Enseigner, c'est vendre. Écrire, c'est vendre. Sortir, rencontrer des amis, risquer l'intimité avec les humains, c'est vendre, c'est se vendre. Vivre, c'est vendre, de nous dire Jean-Marc Chaput.

À 40 ans, j'ai découvert cela et j'ai décidé de devenir un vendeur et de m'impliquer dans la réussite des autres afin d'obtenir moi-même ce succès. J'ai décidé d'apprendre à m'aimer davantage en me développant, me dépassant.

Je n'avais pas la confiance inébranlable du gagnant. Je n'avais pas une attitude mentale positive. Je n'étais pas assez aimable et je n'avais pas encore appris le programme de succès. La meilleure école de leadership fut pour moi celle de Amway; cllc ćtait rude mais nécessaire.

Les vagues de refus, les nons essuyés forment le caractère, donnent le goût de devenir plus fort, de se bâtir une confiance inébranlable. C'est le défi de ma vie.

Le corail exposé à la mer tumultueuse, sur une distance de 1 500 milles de l'Australie à la Nouvelle-Zélande, se développe en couleurs vivaces, devient pleinement vivant, beau et fort. Par contre, le même corail, exposé à une mer paisible, est terne, pâle, peu vivant, sans défi.

J'ai choisi d'apprendre à me battre et à gagner. J'ai choisi la vie, le succès, car je devais devenir tout Jonathan, tout ce Jonathan qui est en dedans de moi depuis toujours.

L'ART DE VENDRE

Être vendeur, ce n'est pas être colporteur de choses, d'objets dont les gens ne veulent pas et dont ils n'ont surtout pas besoin. Il suffit de s'asseoir sur les plages du monde pour voir les colporteurs à l'oeuvre. Ils font leur parade,comme si c'était un défilé de mode. Je les admire pour leur confiance en eux, mais je suis triste pour eux. Ils offrent des services ou des marchandises dont les touristes n'ont guère besoin. Ils ont oublié l'essentiel. Les touristes veulent la paix, non des bébelles ni du bruit. Ils ont besoin de paix et non de pendantifs de toutes sortes de couleurs. Ils sont déjà trop encombrés de choses futiles et de bruit dans leur vie de tous les jours.

J'interpelle l'une de ces colporteuses. Elle rêve d'avoir une belle maison, se rendre service et de voyager. Elle travaille aux champs toute la semaine. Le dimanche, sa seule journée de congé, elle aime rencontrer les gens et essaie de se faire des sous.

Marlene a 38 ans. Elle est quelque peu obèse, n'est pas très jolie, mais son âme l'est. Elle a très confiance en elle et la bonté irradie d'elle. Elle rêve encore. Elle a l'essentiel pour devenir une gagnante.

Je lui enseigne la vraie vente, le véritable succès dans la vente. Ça passe par l'amour. Informer le client, connaître ses besoins, essayer de les satisfaire. Plus on essaie de vendre, plus on manque son coup.

Les meilleurs vendeurs sont des gens aimables, ayant le goût d'aider, de satisfaire les besoins, de rendre service, de donner de leur temps ou d'explorer les besoins des clients. Ils ne sont pas des colporteurs, des « pushers », des « twisters », des « sneakers » ou des beaux parleurs peu aimables.

Elle m'écoute avec de grands yeux pétillants. Elle apprécie la suggestion que je lui fais d'organiser un kiosque de vente dans chaque hôtel pour tous les vendeurs afin de ne pas ennuyer les touristes dans une parade interminable sur les plages.

Le secret du succès et de la vente se trouve au niveau du subconscient. *La vente est un transfert de sentiments.* Quand je sens que tu es aimable et que tu combles mes besoins, j'ai le goût d'acheter ton produit, surtout s'il est utile et nécessaire.

J'enseigne à Marlene la meilleure façon de faire des ventes. Je lui montre comment respecter les besoins du touriste. Il a payé très cher pour avoir la paix, le silence et le soleil. Il mérite cela. Si, au lieu de l'agacer, de l'ennuyer et de l'agresser, le touriste est aimé et respecté, il sera plus disposé à acheter les produits étalés.

Elle repart en me remerciant d'un grand sourire montrant toutes ses dents blanches . . . Elle a la démarche moins lourde . . . et les bras tout aussi encombrés.

Essentiellement, tout le monde vend quelque chose à quelqu'un, puisque la vente c'est informer quelqu'un de la valeur de quelque chose et de lui inspirer le désir de l'accepter. C'est l'art de persuader. Vraiment, «vivre, c'est vendre», c'est persuader.

C'est exactement ce que chacun de nous fait lorsqu'il veut faire une bonne impression, exprimer une opinion. On se vend, on vend sa personnalité et son point de vue.

Une autre bonne définition de la vente consiste en un échange d'informations ou de renseignements afin d'aider, de rendre facile la décision des gens d'acheter des idées, des produits, des biens ou des services qu'ils veulent et dont ils ont besoin. *Le vendeur professionnel est donc dans une relation d'aide, dans une situation d'aider l'acheteur à satisfaire ses besoins et ses désirs.*

D'après Brennan, les professionnels de la vente doivent avoir trois attitudes en commun. Ils mettent le bien-être de leurs clients en premier, possèdent une connaissance supérieure de leurs produits et se servent de techniques de vente responsables.

Ils préfèrent établir une relation acheteur-vendeur de longue durée, basée sur la confiance. La seule façon de réussir en affaires implique une transaction bénéficiant aux deux parties.

Dans mon esprit et dans celui de mes nombreux confrères, les représentants de vente ne sont pas de vrais professionnels mais sont reconnus plutôt comme des manipulateurs en action.

Les manipulateurs sont des vendeurs qui exploitent plus qu'ils n'aident leurs clients. Ils essaient d'obtenir de leurs clients quelque chose de gratuit, à leur avantage. Ils essaient d'obtenir de leurs clients un avantage sans rendre un véritable service.

Ils essaient de vendre des produits dont le client n'a pas besoin. Ils tirent avantage de leurs contacts professionnels et d'affaires. Ils se servent de tactiques douteuses, de demi-vérités et de techniques de motivation dégradantes.

Le professionnalisme implique un souci de développer son habileté ainsi qu'une adhésion à un code d'éthique, un souci de se tenir au courant des derniers développements.

Le bon vendeur aide le client à prendre une décision plus facilement et cela implique une bonne connaissance de la psychologie. Prendre une décision est un acte d'équilibre psychologique.

Des décisions de vente sont prises de différentes façons selon les personnalités. Certains clients potentiels sont impulsifs, d'autres considèrent tous les faits de façon analytique et enfin d'autres sont plus émotifs. C'est ainsi que les représentants doivent varier et ajuster leur tir ou leur présentation, selon le type de personne qu'ils ont devant eux.

Le rejet ou le refus est une partie normale de la vente. Il faut une très bonne confiance en soi pour être capable d'essuyer des refus à répétition (neuf fois sur dix). Les vendeurs doivent apprendre à accepter le refus comme étant une partie intégrante de leur métier. Une bonne connaissance d'eux-mêmes, de la personnalité de leurs clients et une bonne confiance ainsi qu'une bonne image de soi sont les outils essentiels aux vendeurs plus que dans toute autre profession. Sinon, il y aura beaucoup de possibilité de stress et d'usure (burn-out) dans ce métier. On doit être fort, continuellement dans un état d'attitude mentale positive pour ne pas sombrer dans un découragement profond à la suite d'une série de déboires.

Un vendeur expert a de la persistance parce qu'il a confiance en lui et une bonne image positive. « Les gens qui ont de la persistance obtiennent le succès là où d'autres aboutissent à un échec. » (Thomas Eagleston)

La vente est la dynamo de l'économie. Tout ce qui est produit, à partir d'un moulin à papier jusqu'au trombone (attache-feuilles), doit être vendu. Si le produit n'est pas vendu, il est gaspillé. Le gaspillage crée du chômage, une diminution de l'emploi, de la productivité et du produit national brut.

La vente joue un rôle décisif dans les échelons du processus économique. Prenons, par exemple, le trombone. Au début, c'est une barre de fer vendue à une compagnie d'acier. Le minerai de fer est ensuite vendu à un manufacturier d'acier, lequel va vendre son produit à un magasin de gros qui, à son tour, le vend à un détaillant d'articles de bureau. Ce dernier le vend à un client ou un utilisateur. Ce trombone peut même être attaché à une lettre ou à une brochure dans le but de vendre une autre chose.

Ainsi, de nombreux autres services et produits sont vendus dans cette chaîne pour expédier ces trombones à destination. Le minerai de fer peut être transporté dans un bateau avant d'arriver à l'aciérie. Le manufacturier peut vendre des boîtes pour emmagasiner le produit; il peut acheter des camions pour les livrer.

Du mineur qui extrait le minerai de la terre jusqu'au typographe qui attache une brochure ou une lettre, des gens à travers cette chaîne doivent leur emploi au simple fait que les choses sont vendues.

C'est la personne dans la vente qui crée cette chaîne. Si les maillons n'ont pas été reliés entre eux, le minerai serait aussi bien dans le sol. C'est par la vente que toute l'économie bouge.

À l'exception des fraudes, toute vente a un but ou un sens dans cette grande chaîne économique.

L'ART DE LA MOTIVATION, L'ART DE LA PERSUASION

Tout comme les leaders, les enseignants, les parents, les médecins et tous les autres éducateurs, les vendeurs doivent bien connaître les principes de motivation des gens.

C'est bien entendu que les gens sont motivés par des besoins psychologiques, tels les besoins d'appartenance à un groupe, de respect de soi, d'accomplissement et de développement de soi. Les vendeurs qui comprennent ou perçoivent les motifs d'agir d'un individu peuvent mieux satisfaire les besoins de leurs clients et vendre.

C'est F. X. Woolworth, fondateur de la chaîne de magasins à rayons, qui disait: « On ne vend pas mais on facilite la tâche de l'acheteur. »

La vente n'est pas pour tout le monde. Elle est surtout pour ceux qui veulent en faire une vie ou une profession, avec tout ce que ça implique.

Pour réussir dans la vente, arriver au sommet, il faut posséder et développer l'art de la motivation. Le vendeur, tout comme le leader, doit tenter de devenir un expert de la motivation, surtout de la persuasion.

L'art de persuader et de motiver est un monde à lui seul. Il implique une grande capacité d'énergie, de s'auto-énergiser et d'énergiser les autres.

Comme dans toute autre profession, la carrière de la vente présuppose un système de travail, un dévouement envers soi-même et ses clients, une bonne éducation et un haut degré d'intégrité. Il s'agit d'un travail ardu, sans doute le plus ardu qui soit, mais aussi le plus stimulant et rempli de défis.

LA MOTIVATION

Pourquoi certaines personnes ont-elles de l'énergie, de l'enthousiasme, alors que d'autres sont apathiques, fatiguées, sans vie?

Pourquoi certaines gens mènent-ils des vies remplies et stimulantes, tandis que la plupart des autres sont frustrés et ennuyeux?

La réponse réside dans le pouvoir qu'ont les hommes de se motiver eux-mêmes ou d'être motivés par les autres. *Le motif d'action (motiv-action), c'est ce désir brûlant pour quelqu'un ou quelque chose qui pousse à l'action.* Aucun coeur humain ne peut battre fort et longtemps sans désir ardent.

Le désir est la source d'énergie pour grimper vers le succès. *Le désir prend racine dans le rêve.* Les espérances ne donnent rien. Comme le veut le dicton, si les espoirs étaient des chevaux, les mendiants se promèneraient en carosse doré car ils vivent d'espoirs plutôt que de désirs.

Une façon d'augmenter un désir spécifique consiste à se concentrer sur la chose désirée, de la voir ou de la visualiser clairement et de façon constante en mettant des aide-mémoire un peu partout autour de soi (sur le réfrigérateur, sur son miroir, dans son porte-monnaie ou un peu partout ailleurs).

Plus on visualise, on garde constamment à l'esprit, on s'imagine comme le possédant déjà, plus l'image devient chargée de désir ou d'émotion positive.

La personne ayant un esprit mental positif pratique la règle d'or de faire aux autres ce que l'on voudrait qu'il lui soit fait. Elle garde sa tasse à demi-remplie, ou l'esprit ouvert, afin d'apprendre des idées nouvelles. Elle regarde les difficultés comme étant temporaires, comme étant des occasions augmentant sa force. Elle est remplie d'enthousiasme, d'optimisme contagieux.

Tout comme l'amour, la motivation est difficile à définir, car elle est très personnelle. Tous les gens à succès sont motivés de l'intérieur.

La véritable animation vient d'un amour de soi, d'une bonne croyance en soi, en son travail et en son rêve.

La motivation d'un individu grandit dans la mesure de sa foi ou de sa croyance en lui-même, de son rêve ou de sa réalité.

Dans son livre **How to Get People to Do Things**, Bob Conklin a écrit au sujet de la motivation: «Motiver les autres, c'est plutôt une attitude qu'une technique. La motivation est un processus mental. *On ne peut vraiment pas motiver les autres. Ils doivent se motiver eux-mêmes. On peut tout simplement augmenter le désir en eux par des idées nouvelles, positives, qui favorisent une action.*»

Le motivateur est ce concentrateur d'oxygène ou d'idées positives et, tel un bon lanceur, il a appris à lancer ses idées avec force, précision et efficacité. Il sait susciter les émotions profondes pouvant faire agir les gens. *Les idées motivent moins bien que les émotions. Lancer des idées stimule l'esprit mais faire appel aux émotions stimule l'action.*

Dans la mesure où on aide les autres à obtenir ce dont ils ont besoin, on obtient également ce dont nous avons besoin. La clé de la persuasion, du leadership, de la motivation, de la vente, de l'administration et de l'influence sur les autres, c'est de les aider à satisfaire leurs besoins. Les gens ont besoin de sympathie, de reconnaissance, de coopération, de respect, et d'amour. C'est dans la mesure où on satisfera leurs besoins qu'ils vont nous appuyer.

On peut apprendre à reconnaître les énergies, les vibrations ou les motifs de base d'un individu. Certains vivent d'amour, de service envers les autres. D'autres aiment le pouvoir, la lutte; d'aucuns sont animés par les idées, le succès et l'accomplissement; d'autres enfin recherchent la gloire, la reconnaissance et le prestige. Il y a également ceux qui recherchent l'argent ou les biens matériels, ceux qui vivent d'espoirs, de rêveries.

Si l'on reconnaît la vraie couleur, le vrai visage, les forces ou les centres d'énergie d'un individu, on peut satisfaire ses besoins.

Abraham Maslow a démontré une hiérarchie des besoins humains à partir des plus fondamentaux (comme la soif et la faim), suivis de ceux dits de sécurité, de stabilité, de protection, puis les besoins d'estime de soi et de reconnaissance, et enfin les plus spirituels, ceux du développement et du dépassement de soi, d'un sens à la vie.

Il y a une certaine hiérarchie des besoins qui doit être respectée. Thomas d'Aquin était l'expert le plus doué de son temps en éducation et en motivation. Pour convertir quelqu'un à son point de vue, il faut se tenir dans les souliers de son interlocuteur et ensuite le diriger ou le guider vers son point de vue. On ne doit jamais le rabaisser, mais plutôt l'encourager à évoluer de sa position vers la nôtre.

Les gens vont agir pour leurs raisons et non pour les nôtres. Essentiellement, il y a trois façons de motiver les humains: la méthode de force ou du bâton, la méthode de manipulation ou des carottes en avant de l'âne, et la meilleure, celle de la persuasion mentale.

La méthode de force est employée le plus souvent par les policiers et certains parents, mais pas toujours à leur avantage. De même, on peut motiver les gens en leur offrant une foule de récompenses, mais cette motivation ne dure pas, ne dépasse pas la limite du bienfait. Cette méthode est dangereuse aussi pour le motivateur lorsque l'individu se sent manipulé. En plus d'être un peu stupide, l'âne doit avoir assez faim pour désirer les carottes. Les hommes, ne n'oublions pas, ne sont pas tous des ânes.

La méthode de la persuasion, où l'on partage des idées et des connaissances, contribue à influencer le comportement des gens. Lorsqu'on les invite à penser différemment, on influence leurs actions. La persuasion, basée sur l'amour, le respect et une bonne image de soi, a beaucoup plus de force et de permanence qu'une persuasion basée sur la peur, les doutes, l'envie et l'insécurité.

Par la persuasion, on peut motiver les autres à aller au bout de leurs capacités et à exploiter leur potentiel ou leurs réserves, et cette méthode est l'essence du leadership.

L'ART D'ÊTRE CHEF
L'ÉCOLE DU LEADERSHIP

Amway a été et demeure pour moi une grande école de leadership, le commencement d'une nouvelle liberté, une rude école valable et nécessaire. J'ai appris à rêver comme autrefois, à donner un sens à ma vie, à lutter contre mes peurs.

Quand on m'en a fourni l'occasion, j'ai eu la chance d'obtenir d'excellents produits de consommation à des prix de gros. Et lors de représentations par un distributeur direct Diamant, j'ai eu le goût de me dépasser en aidant d'autres à faire de même.

Je me suis rendu compte que la vente était un service aux autres, pas tellement différent de la médecine. Je devais apprendre à vendre ma personnalité, mes idées, mes services; et pour cela, je devais bâtir ma confiance en moi. Avant d'aider les autres, je devais m'aider. Pour moi, Amway fut une excellente école de leadership, la meilleure école de relations humaines et de la vie.

Chez Amway, on retrouve une série de thèmes humanitaires et humanistes, tels que la liberté, la libre entreprise, le dépassement de soi, le dévouement envers les autres, la découverte de rêves personnels et des moyens pour les réaliser et aider les autres à faire de même.

Amway, ce devait être un outil par lequel je devais exploiter la mine d'or au fond de moi, mon potentiel endormi. Dans mon enthousiasme de novice, j'ai commencé à creuser avec une pelle. J'ai eu vite fait de retourner creuser avec une cuillère et même avec les doigts pendant beaucoup de temps. Graduellement j'ai appris à me servir de la dynamite et à faire exploser chez moi, chez les autres, cette énergie vitale, cette énergie de créer.

Je devais apprendre à m'aimer, à me discipliner davantage et à augmenter mon endurance (du «hang-on baby»). Je devais apprendre à vraiment écouter les autres plutôt qu'à m'écouter, à tolérer plutôt qu'à critiquer, à écouter avec le coeur plutôt qu'avec la tête.

Pour moi, Amway devait être un tremplin duquel j'allais sauter vers la liberté d'expression, la liberté d'entreprise et d'épanouissement personnel. C'était le pont vers une nouvelle croissance, une nouvelle liberté.

Ce fut un long cheminement, une grande enjambée. Au début, j'avais beaucoup de peurs cachées sous le masque du statut ou du prestige social et de froideur dans les relations humaines.

L'expérience dans la vente fut vraiment un bond en avant. J'ai d'abord choisi Amway, puis Olde Worlde, Herbalife, Great Shape Up International, Texas Instruments, toujours en quête d'idées nouvelles. J'avais soif d'apprendre. J'étais curieux, je voulais à tout prix réaliser mon rêve le plus secret de ma vie, celui d'une indépendance financière grâce à laquelle je pourrais prendre soin des «mourants», des gens fatigués, suicidaires ou déprimés.

Je serai toujours reconnaissant à ce bon ami Bertrand qui a dirigé un autre ami, Robert, à venir me parrainer. À ce moment-là, j'étais en quête d'expériences nouvelles et de défis. Je cherchais un commerce quelconque ou quelque chose de nouveau lorsque l'occasion s'est présentée à moi.

Peut-être s'agissait-il de la dernière phase avant d'arriver au sommet du succès dans ma vie et d'une véritable liberté?

Le succès, c'est de devenir un leader ou un chef . . . Je devais développer cet art d'être chef, c'est-à-dire de motiver les autres par la persuasion et les idées positives, non par la force ou la manipulation.

Il y a deux mille cinq cents ans, Lao Tsé décrivait le leadership comme suit: «Un chef est à son meilleur quand les gens autour de lui ne se sentent pas dominés. Il est moins bon lorsque les gens lui obéissent et l'acclament, pire lorsqu'ils le détestent. On dira d'un chef qu'il parle peu lorsque le travail est accompli, que son but est atteint et que les autres autour de lui disent: 'Nous l'avons fait.'» M. Selfridge décrit le chef de la façon suivante: «Le boss ou gérant mène les gens, le chef guide; le gérant ou boss se sert de l'autorité, le chef de la bonne volonté; le gérant dit: 'Je', l'autre dit: 'Nous'; le gérant blâme pour la brisure, l'autre la répare; le gérant sait comment faire les choses, le chef le montre; le gérant dit: 'Allez-y', et le chef dit: 'Allons-y'.»

Joseph Jaworski, président de l'American Leadership Forum, énumère dix qualités comme étant essentielles à un chef:

1– une maîtrise de soi: savoir maîtriser ses émotions et être en excellente condition physique;
2– assez d'empathie pour comprendre les gens et leurs difficultés.
3– un sens de direction, une connaissance des résultats escomptés et de la démarche à suivre pour y arriver; être positif, pro-actif et non réactif;
4– une confiance inébranlable en soi-même, permettant d'agir malgré les doutes;
5– une authenticité et une congruence; ce que le chef pense, dit et fait, c'est la même chose; il a de la crédibilité et de la congruence;
6– une facilité à communiquer, motiver ou bâtir le moral;
7– une habileté dans la médiation et dans la combinaison des activités;
8– une intégrité;
9– une bonne intelligence et une capacité d'obtenir toute information désirée;
10– beaucoup d'enthousiasme et d'énergie.

Le chef est un serviteur dévoué . . . Le chef s'assure que ceux qui le suivent travaillent avec lui et non pour lui. Il les considère partenaires dans le travail et voit à ce qu'ils partagent les récompenses. Il glorifie l'esprit d'équipe.

Le chef se multiplie à travers les autres. Il aide l'homme à s'accomplir. Il aide ceux en-dessous de lui à devenir plus forts parce qu'il sait que plus une organisation compte de CHEFS, plus elle sera forte.

Le chef agit de sa propre initiative, élabore des plans et les met en action. Il est à la fois un homme de pensée et un homme d'action (de coeur), un rêveur et un «faiseur» (exécutant). Des chefs, notre pays n'en aura jamais assez . . .

LE SYSTÈME D'ENTREPRISE PRIVÉE

L'entreprise privée est le système qui favorise le plus le développement du potentiel humain. Il favorise une croissance par une liberté entière d'expression et d'action. Il offre de nombreux défis à tout être humain qui veut se dépasser et devenir plus fort.

On sait très bien que la liberté d'entreprise favorise au maximum le développement et l'épanouissement du potentiel humain. C'est pour cela que des artistes, des athlètes et de nombreux professionnels ou tout être aspirant à l'excellence vont jusqu'à risquer leur vie afin de retrouver leur liberté d'expression et d'épanouissement personnel. Ils ont le goût de devenir tout Jonathan. Ils ont le courage de sauter pardessus bord, de laisser aller . . .

Il faut être vigilant, courageux et fort afin de ne laisser personne détruire ses rêves, ses ambitions, sa liberté d'expression et d'action, incluant la liberté d'entreprendre et de réussir à l'intérieur du système d'entreprise privée.

La bureaucratie menace constamment de paralyser le système d'entreprise privée. Il y a beaucoup trop de contrôleurs, d'«analyseux», de technocrates et pas assez de «faiseux».

L'ultime liberté réside dans la capacité de choisir son attitude, de réagir positivement ou négativement aux événements ou aux humains et aux contraintes ou vicissitudes de la vie quotidienne. Il n'y a personne, absolument personne qui puisse contrôler ou empêcher quelqu'un d'avoir une attitude positive face à lui-même ou envers les autres et le monde. Voilà l'ultime liberté dont parle Viktor Frankl dans son ouvrage intitulé **Le Sens de la vie.**

Par contre, le système d'entreprise privée a besoin d'un coeur, d'une grande capacité de partager des richesses avec d'autres humains. Son vice secret, ou sa soif d'abondance non partagée, peut devenir son propre cancer.

Une nouvel ordre économique est requis dans le monde afin de pouvoir utiliser au maximum les ressources et les partager de façon équitable. Il doit y avoir un changement des valeurs. On ne peut pas tolérer des monopoles sans impunité. Tout monopole, économique ou politique, amène des abus, corrompt . . . L'avarice s'implante . . . Le népotisme et le favoritisme aussi . . .

Dans ce monde économique, tout comme dans le monde politique, les requins doivent être évités et même basculés par-dessus bord. Tôt ou tard, ils s'entretuent, ils n'ont pas de coeur et briment la liberté des autres. Ils mènent les plus faibles par la peur et le pouvoir afin de les mieux exploiter et de les écraser. Il faut développer une grande conscience économique, se conscientiser davantage, s'humaniser vers un niveau de conscience individuelle et collective.

De plus, il doit y avoir un changement des valeurs: passer de la compétition à la coopération, des confrontations (juridiques et unionistes) à plus de collaboration basée sur la confiance, le respect et l'amour.

Nous devons créer un monde économique meilleur, avec plus de coeur et d'égard envers les humains . . . C'est le coeur de l'homme qui doit changer d'abord.

Je pourrais bien être taxé de rêveur, mais j'ai foi en l'humanité, en sa capacité d'atteindre un nouveau palier de conscience oecuménique et humanitaire, en une civilisation de l'amour qui passerait par l'individu d'abord . . .

LA LIBRE ENTREPRISE: UN ESPOIR POUR L'HUMANITÉ

« J'aime mon pays pour toutes les libertés qu'il m'a offertes, pour toute l'abondance qu'il met à notre disposition et pour la chance qu'il offre à chaque personne d'être ce qu'elle veut, même si son rêve est de décrocher une étoile. Je l'aime pour l'espérance qu'il offre au reste de l'humanité. »[1]

Le capitalisme est historiquement le seul système dans lequel la richesse s'acquiert non pas par la confiscation mais par la production, non pas par la force mais la négociation. Ce système respecte le droit de tout homme à sa propre pensée, à un travail satisfait, à une liberté d'expression et d'action, au bonheur et à une santé de son choix.

Celui qui sera le plus capable d'aimer sera le vainqueur.

1. Extrait de **Échappons au communisme**, par Alicia Gileicz, distributrice Diamant de la Caroline du Nord, ex-détenue d'un camp de travaux forcés en URSS.

PROGRAMME DE SUCCÈS

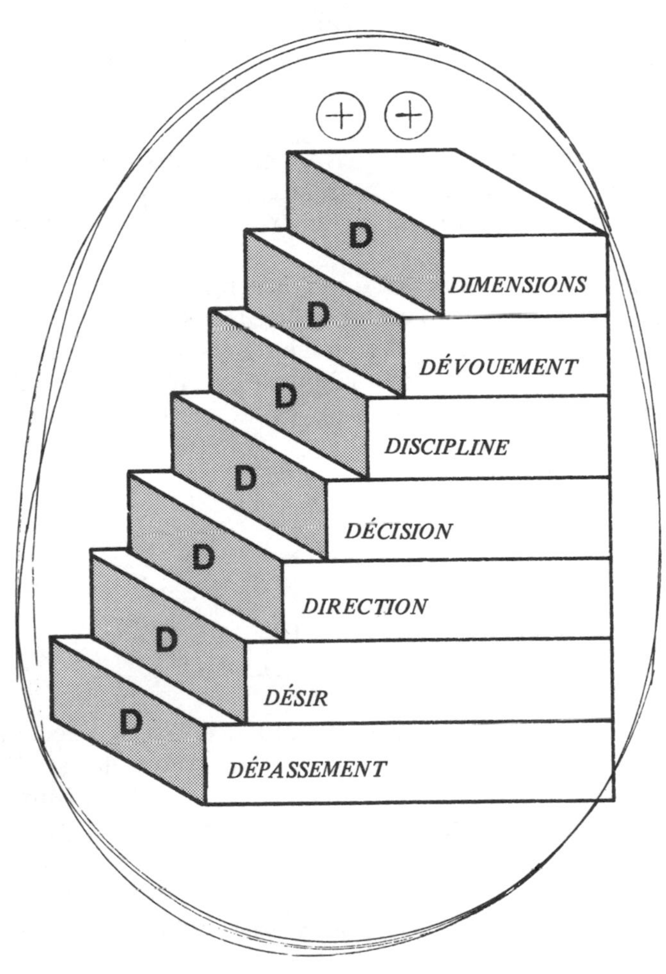

LE SUCCÈS, C'EST . . .

« Le développement de la force mentale et nerveuse est infiniment plus importante que la force musculaire. » (Alexis Carrel, dans **L'Homme, cet inconnu**)

La Bible est l'un des plus anciens et des plus célèbres livres à succès . . . Il s'y trouve caché un secret bien étrange. Chaque humain doit à son tour le découvrir pour lui-même avant de pouvoir le mettre en pratique, se réaliser pleinement et faire de sa vie un véritable succès.

N'est-il pas écrit dans la Bible, depuis plus de deux mille ans, que l'homme vaut ce qu'il est secrètement dans son for intérieur et qu'il réalise toujours ce qu'il pense dans son coeur?

La pensée mentale positive, combinée à l'action positive, mène à des résultats positifs. Il ne suffit pas d'y penser, de le savoir, mais d'agir positivement. L'on se définit dans l'action.

On récolte toujours ce que l'on sème mais pas immédiatement. La semence doit germer et être arrosée.

Je sais qu'il va m'arriver quelque chose de bon aujourd'hui parce qu'hier j'ai peiné, labouré et semé. J'ai semé dans mon subconscient des idées positives ou une bonne semence. Demain sera meilleur encore, car je continue à travailler aujourd'hui et je persévère . . .

RÉUSSIR EST L'ÉQUIVALENT DE DEVENIR EXCELLENT

Dans une démarche vers l'excellence, on doit accepter de dépasser ses limites normales et d'aller hors des sentiers battus, de se pousser au delà de l'ordinaire et de la routine, d'être différent des autres, afin d'exploiter davantage son potentiel et ses richesses cachées.

Bien que les expériences d'excellence soient rares, chacun a en mémoire certaines expériences d'un monde presque parfait.

Peut-être avons-nous tous vécu l'expérience d'une descente en ski, d'un saut parfait, d'un d'exploit extraordinaire ou de tout ce qui fait jaillir au fond de nous une joie et un enthousiasme sans limite.

Dans leur livre **À la recherche de l'excellence**, où l'on fait une étude des meilleures compagnies américaines, Peters et Waterman donnent comme définition de l'excellence: « L'occasion d'un effort inusité de la part de personnes ou d'employés qui nous apparaissent très ordinaires. »

L'excellence est l'héritage naturel de chaque humain. Mais le perfectionnisme, ou la peur de ne pas être parfait, est devenu la marque de notre époque. Dans la mesure où nous allons évoluer du perfectionnisme à l'excellence par le biais d'un changement des valeurs et en encourageant les humains à se dépasser, beaucoup d'autres compagnies produiront d'excellents résultats, un peu comme dans les temps difficiles de la fin des années 70 et du début des années 80.

J'aime beaucoup la description de Skipp Ross du succès ou de la vie dynamique: « C'est la réalisation progressive de buts, d'objectifs, de rêves valables pour une personne, tout en demeurant bien ajustée aux six sphères majeures d'activités, soit le spirituel, le social, le financier, le personnel, la santé physique et mentale. »

Il n'y a aucun doute dans mon esprit que, pour réaliser son plein potentiel, l'on doit posséder une grande capacité d'aimer et de penser. Il n'y a aucun doute que l'on doit maintenir un équilibre ou une unité entre sa capacité d'aimer et de penser tout en gardant un certain équilibre entre les six sphères d'activités humaines.

Thoreau nous dit: « La plupart des gens vivent une vie de frustration chronique ou de désespoir silencieux. » Même dans une société d'abondance, un important secteur de la population (que j'ai vu dans mon cabinet de consultation et dans les salles d'urgence, dans les grandes et les petites villes) ont choisi une petite vie de confort impliquant le minimum de changements et d'efforts, avec une routine de vie, de travail, de repas, de voyages, d'échanges sociaux et de sexe.

Trop de gens ont choisi un chemin de mort lente ou de suicide systématique à petit feu. Leurs habitudes et leurs attitudes négatives ne peuvent faire autrement que de diminuer le succès et d'attirer l'échec. La productivité ne peut certes pas augmenter à cause d'une fatigue chronique et d'une résistance amoindrie.

La santé à son meilleur, par une attitude mentale positive, une bonne alimentation et un conditionnement physique, favorise une plus grande productivité, de meilleurs résultats, y compris plus de succès, tant pour l'individu que pour l'industrie.

Au coeur d'un changement d'attitudes, d'habitudes et d'une amélioration du style de vie, se trouve le problème d'une image et d'une programmation négatives.

Il faut motiver les individus: 1) à se reprogrammer une meilleure image de soi d'abord; 2) à augmenter leur capacité de s'aimer et de prendre soin d'eux; 3) à développer par la suite des attitudes et des habitudes positives favorisant la santé et le plein épanouissement.

Tout tourne autour d'une reprogrammation de l'image de soi et d'un plus grand amour de soi. C'est la base. «Sans l'amour, je ne suis rien.» (Saint Paul) «La chance sourit à l'esprit bien préparé.» (Louis Pasteur)

C'est en trouvant et en suivant un rêve profond à l'intérieur de soi, en suivant cet appel au dépassement, en jouant toute sa musique, en poursuivant sa vocation ou sa mission que tout être humain s'accomplit, se réalise et devient grand. Tout homme qui est sans vision périra, comme le dit la Bible.

Les grands rêveurs dans le monde ont été les bâtisseurs, les créateurs, et ont contribué à la progression et au changement de ce monde. Les non-rêveurs font partie du problème alors que les rêveurs apportent des solutions.

Beaucoup de gens se traînent les pieds dans leur salon ou sur les trottoirs des villes, sans ambition, sans goût de vivre, la mort dans l'âme, et sans un désir de donner un sens à leur vie.

Ils attendent le chèque de l'assistance sociale ou de l'assurance-chômage, en attendant de se prévaloir de leur assurance-maladie, de leur assurance-automobile plutôt que de l'assurance en soi . . .

Que de gens désabusés, fatigués, tendus, ennuyeux et ennuyants se retrouvent un peu partout, non seulement dans

LE SUCCÈS, C'EST LE RÊVE, UN SENS À LA VIE, UN DÉPASSEMENT DE SOI

«Si le corps ne vole pas avec l'aile, c'est l'aile qui rampe avec le corps.»

«Dieu créa le rêve et le rêve créa l'homme.»

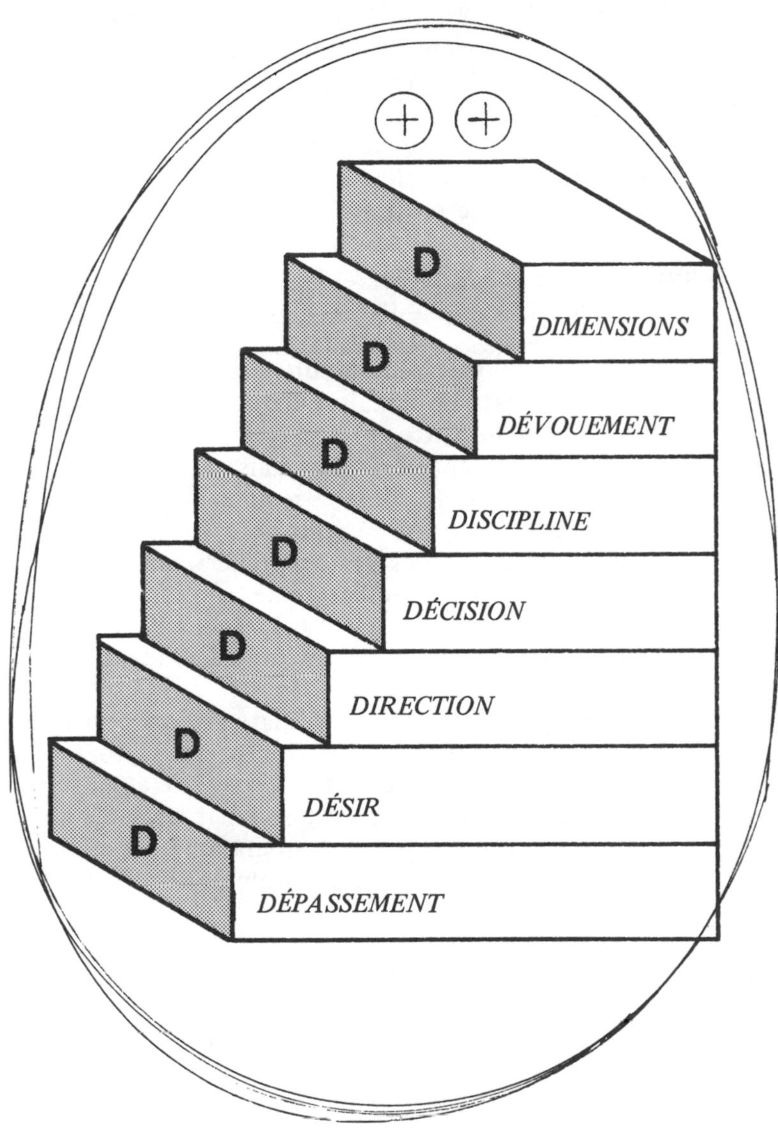

les cabinets de consultation des médecins et dans les salles d'urgence mais partout dans nos villes!

Le premier pas à franchir est de développer une grande capacité de rêver. Il ne faut pas avoir peur de rêver, de trouver ses rêves et de se les avouer.

Aussi faut-il les écrire et les visualiser constamment afin d'imbiber son subconscient et son esprit conscient de l'objet de nos rêves. Il faut rêver, en couleur, en grand, le jour, la nuit, méditer, écouter cette voie intérieure, ce battement intérieur, ce vrai sens à la vie, cette vraie musique, ce goût du dépassement, grimper et aller par-dessus les montagnes. « L'homme est en quête d'un sens . . .»[1] Tout humain qui n'a pas trouvé la mission de sa vie, ce pourquoi il a été fait, ce pourquoi son coeur doit battre toute une vie, veut tôt ou tard se détruire, car sa vie n'a pas de sens; il est profondément frustré.

Il choisit une mort rapide ou une mort lente par la voie d'un style de vie négatif, suicidaire. C'est le sort de notre humanité, surtout celui de notre jeunesse:

- qui a un coeur pour aimer mais qui a peur d'aimer;
- qui a deux bras pour bâtir mais qui ne sait quoi, ni où, ni pourquoi, ni pour qui;
- qui a deux jambes pour marcher mais qui a peur de sortir du nid familial ou des sentiers battus;
- qui a une tête pour réfléchir mais l'emplit d'annonces commerciales, de fumée, d'idées étroites et fausses;
- qui a un merveilleux ordinateur, son esprit conscient et subconscient, devant être programmé correctement afin d'être à son service et au service des autres, mais qui est souvent plus ou moins bien programmé, qui est programmé par erreur ou dans l'erreur, qui est programmé de peur plutôt que d'amour.

À tous les jeunes gens de la terre, il faut redire ce que Gaétan et Lise Desmarais disent si bien: « Trouve ton rêve et ton rêve te trouvera. » Il faut offrir une solution valable au suicide, à une vie sans but. Il faut leur montrer à aller au fond d'eux.

1. Viktor Frankl, **Man Search for Meaning.**

LE SUCCÈS, C'EST LE DÉSIR ARDENT . . .

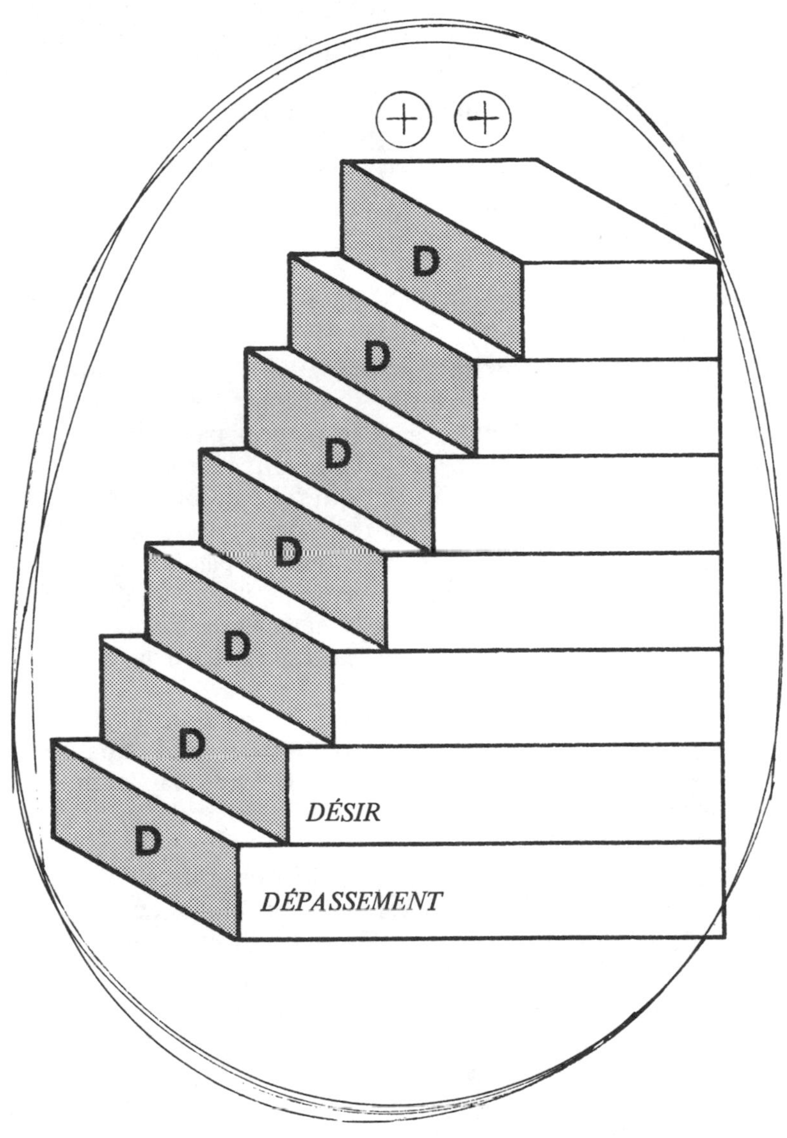

Un rêve provenant de l'intérieur de soi, non du fond de la télévision ou du sofa, un rêve qui fait vibrer d'énergie, brûler de désir, voilà la réponse à cette épidémie de gaspillage de vies que l'on observe dans le monde occidental, peut-être même à l'échelle mondiale.

Le taux de suicide chez les jeunes de 15 à 25 ans a quadruplé au Québec depuis les vingt dernières années. Ailleurs, les statistiques ne sont guère plus réjouissantes.

Tous, individuellement ou collectivement, nous devons nous réveiller à la réalité essentielle que le rêve anime l'humain.

Ce n'est pas le gouvernement ni la société en général ni le socialisme qui doivent décider ce qui a du sens pour moi, ce que je veux ou dois faire avec ma vie, quelle musique je dois jouer . . . Et si je choisis de me tricher, je serai malheureux, frustré au fond de moi et je n'aurai pas à blâmer les autres. *Tout homme ou toute femme sans vision (rêve) périra.* «Rien n'est impossible à celui qui tend l'esprit vers le but qu'il se propose.» (Kerouac) Tendre l'esprit, c'est se concentrer afin de garder le désir ardent, la flamme, la passion. Une idée ou une pensée positive retourne avec permanence dans l'esprit, va attirer l'énergie universelle et la faire cristalliser, un peu comme un noyau ou un corps étranger pour la perle ou un niveau astral.

Le succès, c'est le désir ardent, la passion, le goût de lutter et de persister, la capacité d'absorber les coups durs, l'entousiasme, l'énergie, l'engagement, la force, la flamme, la vigueur et le feu sacré.

La sexualité et la sensualité sont une source d'énergie, une sorte d'amour et de projection de soi vers les autres.

C'est pourquoi Catherine Ponder, dans son livre, parle de la sexualité comme ayant trois dimensions:

1– l'une, physique (le sexe, l'amour charnel, physique, le plaisir, le «thrill», le «fun» ou le plaisir sans lendemain;
2– l'autre, intellectuelle-émotive (confiance, tolérance, douceur, bonne image de soi);
3– la dernière, spirituelle (projection de soi, vigueur, goût de donner, d'harmonie et de paix).

LE SUCCÈS, C'EST UNE DIRECTION . . .

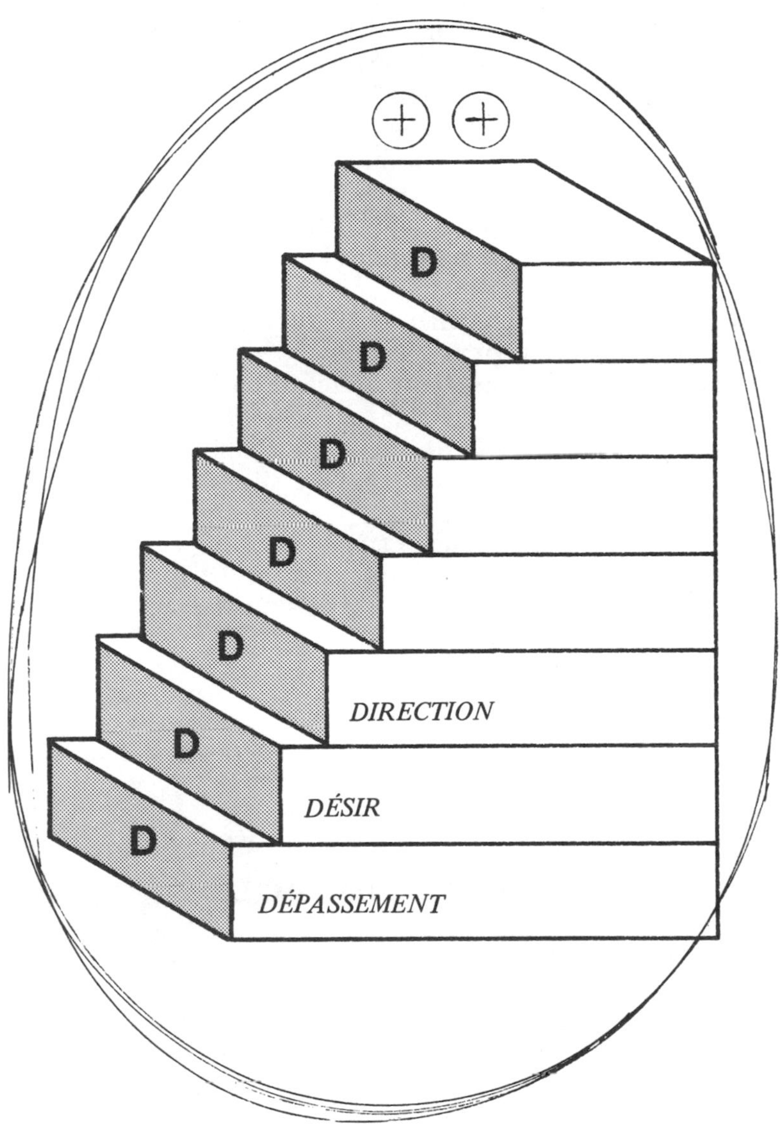

Le succès consiste à développer un désir ardent à partir d'un rêve fondamental. On devient passionné, enflammé et enthousiasmé envers la vie. La passion, l'enthousiasme, la force et la flamme sont tous des équivalents du désir ardent.

Lors des chapitres précédents, on a démontré l'importance de visualiser continuellement ce rêve ou ses rêves. Graduellement, l'on devient possédé par ces rêves qui deviennent des désirs ardents ou des besoins.

La puissance créatrice chez les adultes possède les mêmes sources et obéit aux mêmes motivations que le jeu créateur des enfants. La puissance créatrice découle du désir de jouer et d'un besoin de s'exprimer, de se projeter dans l'Univers.

Elle est marquée par une attitude sérieuse, un engagement profond, un véritable «comme si» du jeu des enfants, et elle devient une importante source de plaisir pour l'humain. Afin de gagner, il est important de demeurer un enfant libre, rempli d'énergie et de curiosité, recherchant le plaisir, jouant le jeu de la vie sérieusement, pour vrai, tout en se donnant beaucoup de joie.

Trouve ton jeu, joue-le très bien et tu gagneras la partie à coup sûr . . . Un désir ardent va brûler ton esprit conscient du matin au soir et ton esprit subconscient du soir au matin (toute la nuit durant) . . .

LE SUCCÈS, C'EST UNE DIRECTION

«La chance sourit à l'esprit qui est bien préparé.» (Hans Seyle)

Ceux qui auront pris l'habitude de vivre avec une certaine ambiguïté, le changement, le doute et l'anticipation du nouveau seront très en avant de ceux qui retiennent le passé.

Le succès, c'est une direction. Afin d'aller dans la bonne direction sans risquer de perdre trop de temps, il faut:

1– des buts à court, moyen et long terme, une stratégie, un plan d'action ou d'attaque;
2– une imagination et un pouvoir créateur;
3– une bonne connaissance des lois naturelles et universelles (lois du mental, de la causalité, de l'affinité);
4– une reprogrammation de l'esprit (un bon entraînement mental) par la possession d'attitudes positives.

Le succès, comme la vie, implique une lutte avec une stratégie, tout comme pour le jeu japonais GO, le jeu d'échecs et la majorité des sports professionnels ou amateurs.

Pour réussir tout projet, et surtout celui de la vie, il faut développer une stratégie. Il faut planifier, voir, prévoir, organiser, se fixer des buts à court, moyen et long terme. Planifier est essentiel pour gagner.

Les buts servent de points de repère afin d'indiquer la route. Ils ne doivent pas être rigides dans le temps, mais ils doivent permettre à l'esprit de se concentrer et souligner le chemin tortueux, rempli d'embûches, qui mène vers le sommet de la réussite.

C'est pour cela que beaucoup de sports pratiqués de façon régulière favorisent le succès, car ils incitent au développement de stratégies et de plans d'attaque. Il faut de l'imagination, du temps et de la discipline pour préparer et exécuter un plan d'action ou d'attaque.

Le succès implique aussi une bonne capacité de voir, prévoir et solutionner des problèmes. Voici quelques conseils du docteur Robert Schuller:

1– chaque problème a besoin d'être examiné sous toutes ses facettes;
2– chaque problème est temporaire (a une durée de vie limitée);
3– chaque problème a des possibilités positives ou un aspect positif;
4– chaque problème va te changer;
5– tu peux choisir ce que le problème fera pour toi (quelle réaction tu auras face au problème);
6– il y a une solution positive et négative à chaque problème;

7– il y a des problèmes insolubles qui peuvent toujours être contrôlés;

8– la plupart des problèmes sont des illusions ou des problèmes imaginaires (tout comme les peurs).

Aussi faut-il apprendre à anticiper et à écouter les signes avant-coureurs ou les signaux d'alarme qui précèdent tout désastre. Il vaut toujours mieux éviter ou prévenir l'impact avec son flair ou son intuition.

LE SUCCÈS, C'EST UNE DÉCISION

Le succès, c'est une décision, une lutte, une ascension. Le courage est essentiel afin de faire suivre sa voie et non celle des autres, d'apprendre à mieux s'aimer et d'aimer mieux les autres, en dépit des critiques, des opinions et des normes des autres.

Toute ascension se nourrit d'une douleur dépassée. Gagner, c'est surmonter, c'est être capable d'accepter une certaine douleur.

Pour créer ou organiser, il faut du courage, de la lutte et des efforts. Il faut avancer, foncer dans le tas, se jeter à l'eau et se débattre. Dans le feu de la bataille, on grandit. Alors, qu'est-ce que tu attends? . . . Vas-y . . .

LE SUCCÈS, C'EST DE LA DISCIPLINE

Le succès, c'est de la discipline, du travail, des efforts, une revanche, de la persistance, de la détermination. « Le succès, c'est une revanche . . .» (André Blanchard) Vraiment, le succès est une revanche après un dur labeur. Il est une récompense à la suite d'un travail ardu, d'une application des techniques de succès de façon systématique et ordonnée.

Le succès nous est dû lorsqu'on a peiné avec persistance. La persistance est cet état d'esprit qui est bien décrit par Hans Seyle: « Une croyance en un rêve et au rêveur. »

LE SUCCÈS, C'EST UNE DÉCISION . . .

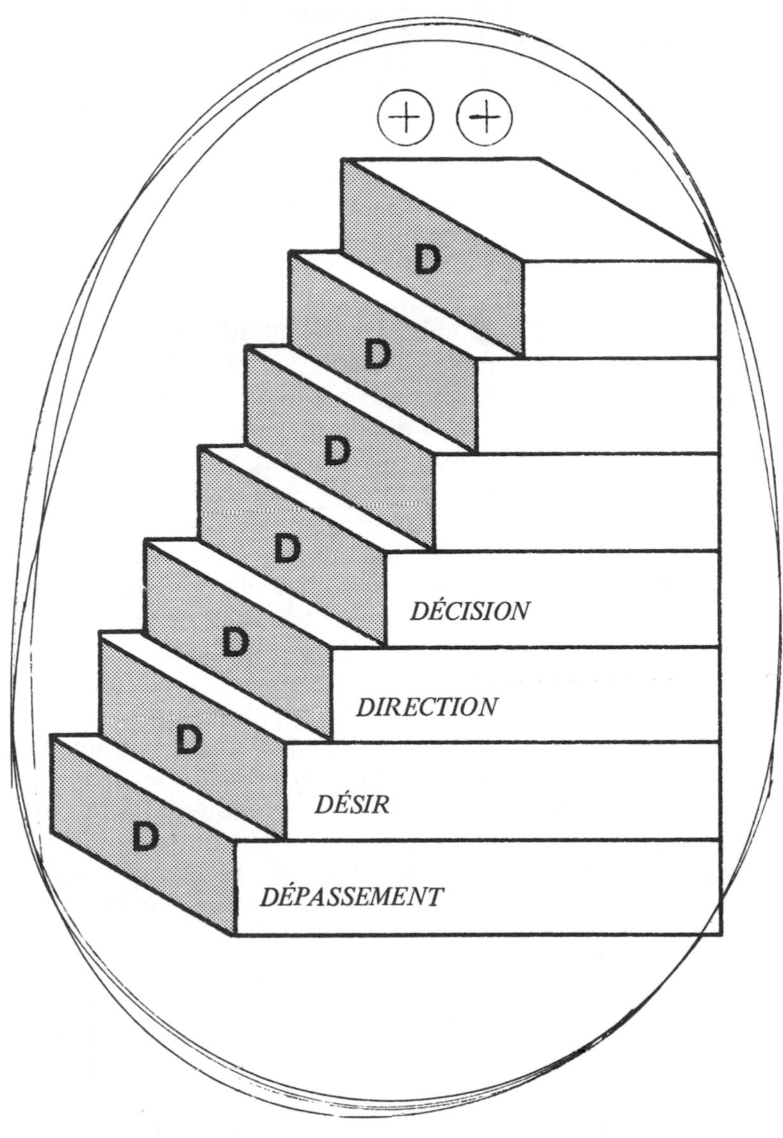

Si on persiste au jour le jour, avec patience et confiance en soi et en son rêve, alors le ciel s'éclaircira et le succès sera nôtre. La persistance est au succès ce que l'acier est au carbone. On doit développer cette trempe de la personnalité qui n'hésite pas à agir envers et contre tous. Voilà la différence entre les hommes de trempe et les jeunes garçons.

Le succès, c'est payer le prix d'abord. Dans la réalité de la vie, le travail doit toujours précéder le succès dans tout, sauf dans le dictionnaire.

Le succès, c'est comme gravir une montagne jusqu'au sommet. Il faut y mettre du coeur, des efforts et du temps. Lors d'une excursion au mont Mansfield avec ma famille, les plus jeunes commençaient à s'impatienter après la première heure de marche. On me demandait: « Quand est-ce qu'on arrive? » Et je leur répondais: « Quand tu n'entendras plus couler l'eau dans les petits ruisseaux, quand les arbres seront plus courts et que toi, tu sauras que tu approches du sommet. »

Quelque trois heures plus tard, nous arrivions près du sommet, à un endroit assez périlleux appelé « le passage de l'aigle ». Il s'agissait d'un étroit passage avec une enjambée importante sur un roc dénudé avant d'aboutir au cap du mont Mansfield, à environ 200 mètres. Les enfants avaient déjà franchi ce passage sans trop se soucier du danger, tandis que les parents avaient commencé à trembler de peur à la vue du vide de chaque côté. Mais le risque en valait la vue magnifique. Une grande joie s'est emparée de nous, une fois rendus au sommet. C'était la joie de la victoire, d'une lutte . . .

Si l'ascension avait été pénible, la descente sur une face aride n'en était pas moins facile. Il y avait des endroits très escarpés, et il fallait s'agripper tant bien que mal à certaines branches afin de descendre sur le fond de culotte, comme sur une glissoire un peu rocailleuse. Les défis ne manquaient pas, même dans la descente. Quelle belle leçon de succès! Quelle belle expérience de famille!

Le succès ne nous attaque jamais. Il faut le créer en se développant une discipline de l'esprit. Il faut une application assidue des lois universelles régissant l'établissement d'une fortune, du bonheur ou de la santé.

Pour réussir, on doit se tenir plus près des gagnants et s'éloigner des perdants, car nous sommes le fruit de nos

LE SUCCÈS, C'EST DE LA DISCIPLINE . . .

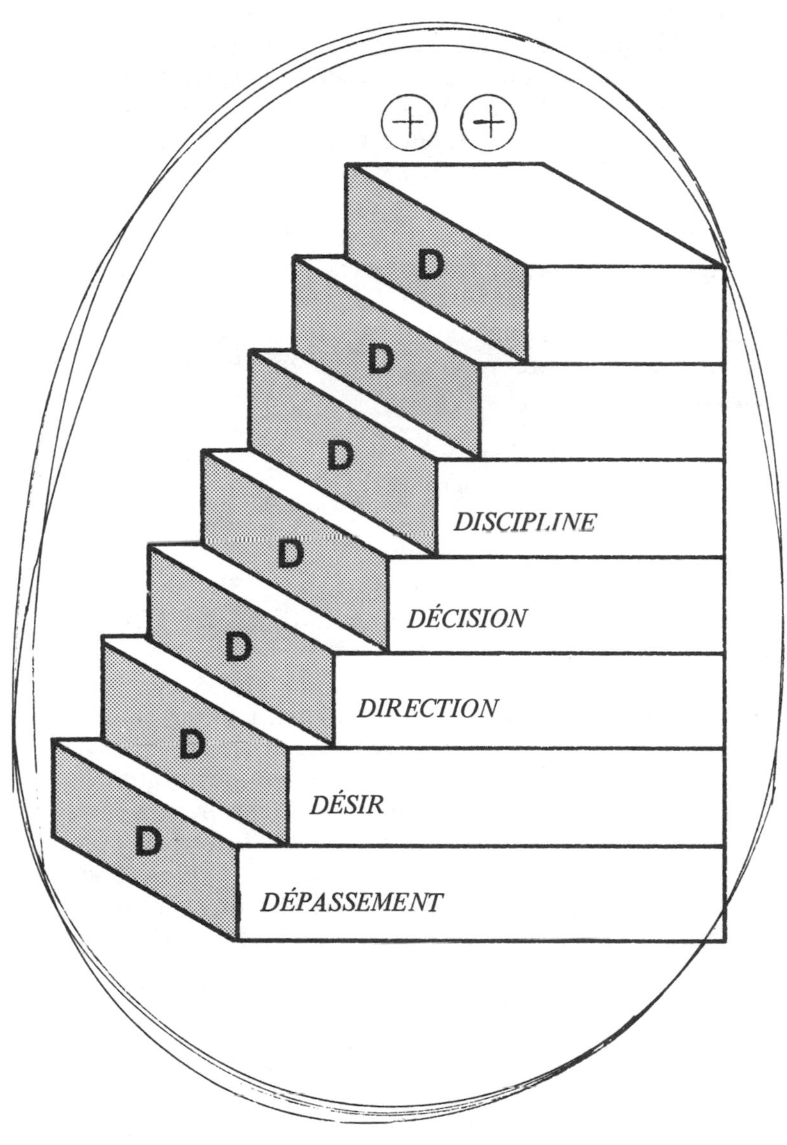

pensées et de nos croyances. C'est contagieux. On peut apprendre des autres gagnants. Il faut se protéger contre les influences (idées) négatives des perdants. Ils sont dangereux, empoisonnants.

L'abondance et la richesse, comme la pauvreté, la santé, le bonheur et l'amour, sont des états d'esprit ou le résultat de nos attitudes. Aussi la richesse est-elle une force, une puissance. Elle augmente la joie de vivre et engendre une liberté d'action. Il n'appartient qu'à nous de payer le prix, maintenant ou plus tard.

De plus, on doit apprendre à reconnaître les lois de l'affinité ou de l'attraction universelle et se développer une attitude mentale positive afin d'attirer du positif vers soi. Le succès implique d'augmenter sa capacité de travailler à la lumière de l'attente positive, d'apprendre à se motiver par l'intérieur . . .

LE SUCCÈS, C'EST DU DÉVOUEMENT, DE L'AMOUR

La santé de son esprit (corps mental) et de son corps physique demande un grand dévouement envers soi. Le succès implique aussi un grand dévouement envers les autres, un service personnalisé et spécialisé. Il comporte aussi un dévouement et un respect de l'environnement, de son travail, de son Créateur (Père, Source d'Amour ou d'Énergie).

Il est l'heure d'aller vers le succès . . . Il est l'heure de développer des attitudes positives basées sur l'amour inconditionnel. Il faut développer les trois attitudes positives suivantes:

1– j'ai de la valeur, j'ai confiance en moi et je suis activé ou plein d'énergie;
2– les autres humains sont aussi importants;
3– rendre service, c'est ma première responsabilité; enseigner, montrer, c'est aimer . . . rendre service aussi . . .

LE SUCCÈS, C'EST UN APPROFONDISSEMENT, UNE SPIRITUALITÉ

Le succès, c'est une croissance spirituelle, personnelle. Nous sommes tous des êtres spirituels avec un corps physique, de passage sur la terre, à la grande école. Nous devons apprendre une leçon après l'autre dans notre processus de développement ou de mutation.

Notre croissance spirituelle est inévitable. Ce n'est pas nous qui transformons la terre, c'est notre passage qui nous transforme.

Sur le chemin de la vie, les hommes ont le désir de prendre et de posséder. Mais le désir de posséder a comme contrepartie la peur de perdre. Le désir de posséder va s'effriter inévitablement, soit par le vieillissement de la chose possédée, soit par l'indifférence progressive envers ce que l'on possède.

La seule joie qui ne s'effrite pas est celle que l'on découvre dans le domaine de la connaissance et de sa croissance. Connaissance signifie compréhension des lois de la vie, dc l'harmonie universelle, de la beauté cosmique, de la compréhension spirituelle et de la santé parfaite.

Voici ce qu'André Poray, spiritualiste français, nous rappelle: «Profitez de tout ce qui vous est donné, mais sans attachement, car vous ne possédez rien et tout vous est prêté. Tout ce que vous possédez, toutes vos richesses ne vous appartiennent qu'à titre temporaire, provisoire, sauf votre richesse spirituelle. Personne ne peut vous enlever cela. Toutes les souffrances et les difficultés ne sont que des expériences dont vous allez essayer de tirer un enseignement. Quand l'enseignement est compris, alors le renoncement (laisser aller) vient de lui-même et la souffrance, alors, n'est plus réellement souffrance . . . Votre vie devient alors une joie permanente par tout ce que vous découvrez sur son chemin et par sa progression spirituelle.»

LE SUCCÈS, C'EST DU DÉVOUEMENT, DE L'AMOUR . . .

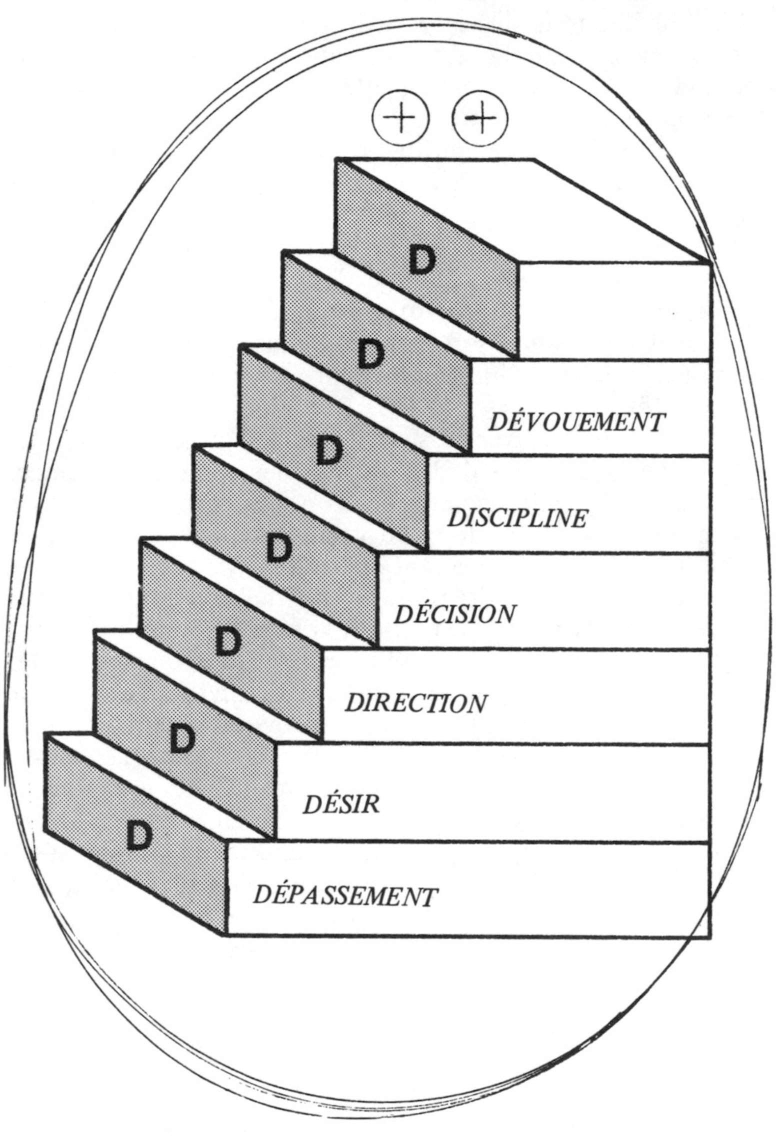

LE SUCCÈS, C'EST UNE SPIRITUALITÉ ADULTE

Un adulte demande à un enfant: « Je te donne 25 cents si tu me dis où est Dieu. » Et l'enfant rétorque: « Je te donne un dollar si tu me dis où Dieu n'est pas. »

On aime voir et toucher un nouveau-né, un enfant. Il est beau, pur et rempli d'énergie. On est attiré par sa chaleur, sa beauté, son rayonnement, son sourire. Il a l'air d'un gagnant, il est rempli de vie. Il a peu de peurs si ce n'est celle de tomber en chute libre et celle des grands bruits.

Il y a un enfant libre, peut-être amorti, au fond de nous. Il faut le libérer de ses peurs (sa prison). Il faut le nettoyer de tout ce négatif. On n'entre pas au ciel à moins de mourir au vieil homme (rempli de peurs) et de redevenir enfant, c'est-à-dire pur, spirituel, dégagé de vibrations négatives, de peurs.

Le succès, c'est de redevenir cet enfant libre, pur, simple, rempli d'enthousiasme et de sérénité. La sérénité est une attitude, une disposition de coeur et de l'esprit, faite de paix intérieure, de joie et de service. Cette paix se bâtit par les racines, en découvrant ses besoins, ses rêves et un sens à sa vie.

L'enfant voit le monde dans tout son ensemble. Il est beaucoup plus près de la réalité, la sienne, et celle du monde. Il a une expérience beaucoup plus globale et profonde du monde. Beaucoup d'adultes sont compartimentés ou pris dans le non-essentiel ou le matériel, à cause de leur raison, de leur intellectualisme.

L'enfant est beaucoup plus spirituel qu'on ne le pense, beaucoup plus que nombre d'adultes. On ne devient jamais complètement humain à moins de développer une spiritualité ou une dimension spirituelle du monde. L'Amérindien et le Zoulou, soi-disant païens aux yeux des Blancs, étaient très près de la nature, de leur intérieur et de leur manitou.

La civilisation moderne a rabaissé l'humain à l'état de robot matérialiste au service de la société. En médecine et en psychologie expérimentale, on tente de tout expliquer des phénomènes de la pensée, des émotions et du comportement comme étant la résultante d'une mécanique cérébrale (influx nerveux, réactions biochimiques du cerveau et des systèmes

LE SUCCÈS, C'EST . . .

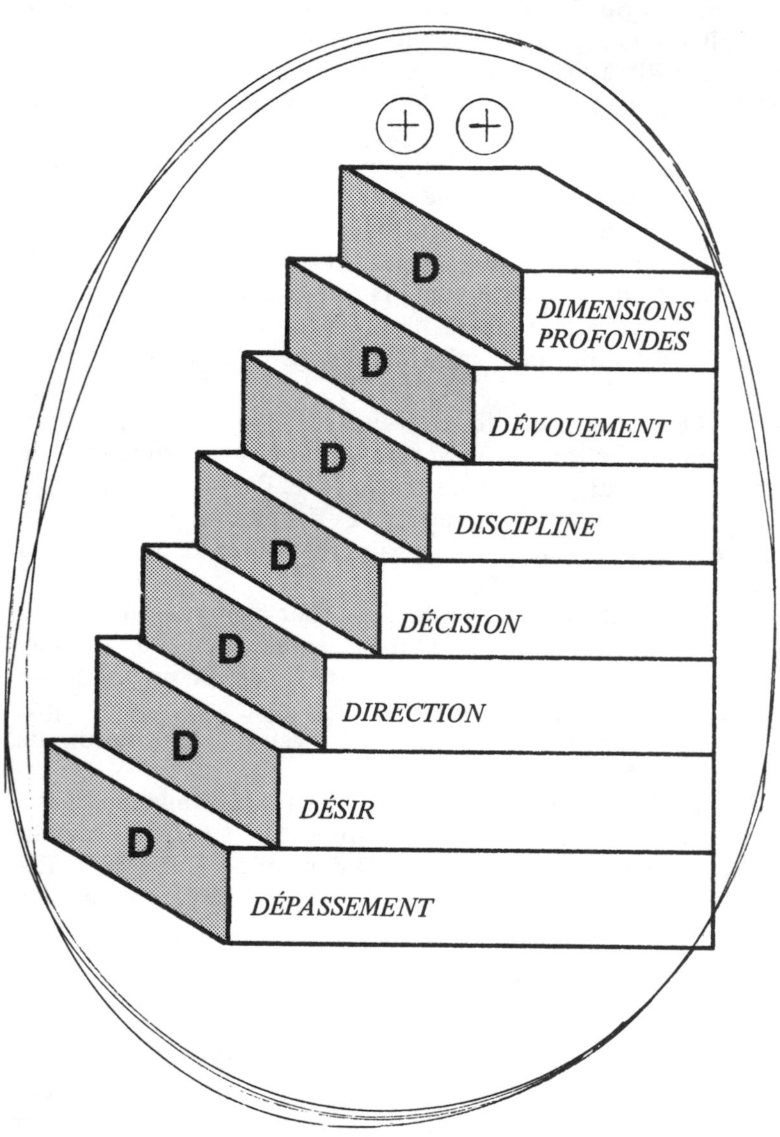

nerveux central et périphérique, endocrinien et vasculaire) et d'un comportement social. On refuse catégoriquement d'admettre la suprématie et la préséance de la pensée sur la matière. On cherche à ignorer les lois de la métaphysique et de l'énergie (lois du mental, du mouvement, de la guérison, de l'affinité et de la causalité).

On sait très bien que toute réalité matérielle (objet, même le corps physique) est précédée d'une réalité immatérielle ou spirituelle ou mentale (même la Rolls-Royce, une réalité spirituelle étant une idée dans l'esprit de quelqu'un avant d'être une réalité matérielle).

Le succès, la santé et toute guérison impliquent une connaissance approfondie et une obéissance aux lois de la vie, de l'énergie et de la santé. C'est la vraie spiritualité.

Le succès, c'est aussi la mer et la plage de notre esprit conscient et subconscient. Tels des coquillages, les éléments essentiels au succès (les idées) sont contenus sur la plage du monde intérieur, de ma connaissance.

Va les découvrir pour toi-même. Le soleil brille pour tous. Le succès peut t'appartenir comme à tous. Amuse-toi avec les idées comme l'enfant avec les grains de sable. Ne sois pas rigide dans ta pensée, dans ta façon de voir et de faire toute chose. Ne sois pas obsédé par une idée. Comme le sable, il y a beaucoup d'idées. Laisse-les passer, laisse-les couler entre tes doigts ou dans ton esprit conscient. Aie l'esprit ouvert comme un grand livre.

Le succès, c'est le soleil, source d'énergie, de joie, de bonheur, de détente, de plaisir et de sueur.

Le succès, c'est de l'amour ou l'expression de soi vers les autres, la passion de vivre ou la sexualité. Le succès implique une activité, une créativité, une projection de soi dans l'univers, les choses, les idées et les humains.

Par la méditation et la rêverie, nous entrons en contact avec nos rêves et nos besoins. Le succès, c'est se recueillir afin de découvrir ses besoins, ses rêves, les profondeurs de la mer de son subconscient.

Le succès, c'est de maintenir un équilibre, une unité entre ce que je ressens, ce que je dis et ce que je fais, et entre ma capacité de penser, de ressentir et d'aimer. Le succès, c'est le dévouement au service des autres, un sourire, un service personnalisé et spécialisé, la vente. Le succès, c'est le stress de vouloir se développer, d'être tout le goéland que nous sommes appelés à être, de *devenir tout Jonathan . . .*

Tous ces facteurs précédents sont rattachés ensemble et forment une boule solide qu'on appelle le succès. Mélange tous ces ingrédients de façon régulière et observe la pâte lever. Tu seras surpris des résultats.

Si tu veux le succès, marche souvent seul sur les plages. Tu découvriras davantage les choses essentielles de l'univers, surtout ton univers intérieur.

Si tu veux le succès, va nu-pieds, tôt au printemps ou tard à l'automne, comme un enfant libre. Laisse tomber tes peurs, surtout celle du succès.

Sois libre, aie du plaisir, ne sois pas trop sérieux. Développe une attitude «mapenlai» (ça ne fait rien, ça n'a peu d'importance, ceci aussi passera).

Si tu veux le succès, voyage plus légèrement, prends plus de risques. Laisse aller davantage. Tu n'as pas à apporter un parapluie, deux pneus de rechange, trois couvertures et un parachute quand tu pars en voyage.

Si tu veux du succès, deviens un enfant libre, aimable, curieux, qui a soif de vivre, d'apprendre, de se dépasser, qui aime jouer et apprendre. Prends le goût de jouer, de réapprendre à jouer . . .

AU DELÀ DE LA MÉDECINE SCIENTIFIQUE

Pendant dix ans, j'ai couru sur un tapis roulant, entre le bureau, le département d'urgence et les chambres de malades dans un hôpital communautaire.

J'étais en charge d'une lourde pratique de médecine familiale. Je manquais de temps. Je n'avais plus le temps de répondre aux besoins de mes patients, ni de ceux de ma famille, encore moins des miens.

Quels étaient mes besoins? Je n'avais même pas le temps de vivre. J'avais l'habitude de dire à mon personnel: «Vite, on commence, il faut commencer à temps si on veut finir à temps.»

On ne finissait jamais à temps. Une heure, deux heures plus tard, après le temps prévu. Je n'avais pas le temps de manger ni de m'arrêter, ni de réfléchir ni de méditer.

Afin de rendre service aux autres, j'oubliais de me rendre service et je me sentais coupable si je le faisais. J'avais développé une attitude négative, celle du tempérament de type A, celle du travail excessif.

Quand j'ai quitté le groupe (la clinique), mes confrères et le personnel m'ont offert un gilet T-shirt avec l'inscription: «The show must go on. En avant la musique.»

Il s'agissait bien d'une nouvelle orientation de ma vie, vers une guérison de mes attitudes.

J'avais besoin d'apprendre. Il y avait en moi un goût de relever de nouveaux défis. La prochaine étape dans mon développement impliquait de me guérir de mon attitude négative. «Médecin, guéris-toi toi-même.»

J'avais à apprendre à me libérer de mes peurs de toutes sortes, surtout l'orgueil, la rigidité mentale, la peur de ne pas être parfait, de ne pas toujours avoir raison, de laisser aller le contrôle, de la culpabilité, du changement, d'être jugé et critiqué par les autres, etc. Je ne me rendais pas compte jusqu'à quel point j'étais victime d'une programmation négative basée sur la peur au lieu de l'amour.

Après plusieurs années d'apprentissage et d'entraînement dans les différents aspects de la psychologie du développement du potentiel humain, j'étais prêt à aborder le vaste monde de la motivation et de la persuasion qui servent de base au leadership et à la vente.

Je devais apprendre à vendre une idée, ma personne et un produit. Un vendeur? Yeak! Un distributeur Amway? Yeak! Yeak! . . . Et que penser d'un distributeur Herbalife, Olde Worlde, Texas Instruments, Pop Line, Great Shape Up International? Peu m'importait le genre de produits d'usage personnel ou de consommation domestique ou commerciale.

Le nom de la compagnie m'importait peu. Je voulais être en contact avec différents groupes de gens dans la vente afin d'apprendre de nouvelles idées et de voir de nouveaux marchés. Je voulais une expérience élargie, vaste. Et j'ai consulté les meilleurs vendeurs de Fisher, de Birks et d'autres professionnels de la vente.

Ça prend du courage pour vendre du savon et de l'huile synthétique, plus encore les suppléments nutritifs. Je devais essayer mes ailes dans la vente en débutant avec une femme de médecin. Tant qu'à pratiquer, aussi bien foncer dans le tas avec les grosses légumes.

Elle était très aimable, non critique. Elle n'a pas ri de moi, ne m'a pas jugé. Elle s'est montrée très encourageante en achetant plusieurs produits dont elle avait besoin. Pourtant, j'avais si peur . . . peur de sortir de l'auto. J'ai dû contourner le même coin de rue à plusieurs reprises avant de me décider à affronter cette cliente.

Il faut côtoyer des vendeurs professionnels pour apprécier la science et l'art de vendre, et pour voir l'affinité ou la proximité de la médecine, du travailleur social et de l'agent de voyages à la vente. Toutes ces professions sont dédiées à aider des gens, à répondre à leurs besoins, à leur rendre des services. Vivre, c'est vendre . . . Vendre du savon, c'est beaucoup trop glissant ou savonneux pour bien des gens qui ont peur de laisser tomber leur statut (masque social) ou leur prestige social.

Des peurs de toutes sortes sont très profondément incrustées parmi les professionnels et les bureaucrates. À leur insu, ils sont victimes de nombreuses peurs, entre autres celle d'être critiqué, jugé, de ne pas être reconnu, de manquer son coup. On joue toutes sortes de jeux et on porte toutes sortes de masques (rigidité d'esprit, airs de supériorité, d'indifférence et autres jeux sociaux).

Le problème de la médecine, c'est que nous ne sommes pas aussi bons vendeurs que nous le devrions, et les gens ne veulent pas acheter facilement notre produit qui est la santé ou l'attitude mentale positive qui la sous-tend.

Il nous importe de devenir de meilleurs vendeurs.

Le vendeur professionnel, le bon vendeur avec beaucoup de coeur se dévoue à rendre service à ses clients, à satisfaire ses besoins par un service personnalisé et spécialisé.

Le vendeur professionnel a besoin d'entraînement, de dévouement, de beaucoup d'amour des autres, de beaucoup de persistance et surtout de beaucoup de courage et de confiance en lui, et d'avoir développé l'art de la persuasion et de la motivation.

La vente fut ma meilleure école de vie, quoique la plus difficile, je dois l'admettre . . .

Au delà de la médecine traditionnelle vers une médecine graduée et complémentaire, je devais aller. Afin de réaliser mon plein potentiel et de devenir tout le Jonathan dont j'étais capable et que je me devais de devenir, je devais dépasser les cadres de la médecine traditionnelle et apprendre à vendre des attitudes nouvelles basées sur l'amour plutôt que sur la peur.

Assez tôt, j'ai dû me rendre compte que je devais apprendre à m'aimer davantage, à développer une meilleure image de moi et plus de confiance en moi.

J'ai découvert que je devais, pour réaliser mon plein potentiel et jouer toute ma musique, me guérir de mes attitudes négatives et développer des attitudes plus positives. J'avais le goût de prendre soin des mourants, soit de ces jeunes mourants de 15 ans et des gens fatigués et confus. Petit à petit, j'ai assumé une plus grande capacité d'aimer et un goût de montrer aux autres à aimer, à prendre soin de leurs parents et amis mourants qui ont des besoins d'enfant.

De plus, je souhaitais profondément une meilleure méthode de rémunération que le présent système – à la pièce – où on contrôle la vistesse et le style de pratique par le moyen de paiement.

Les médecins sont vraiment des esclaves, des marionnettes entre les mains des bureaucrates et de gens qui insistent pour avoir raison. Il y a tellement de lois qu'il devient impossible de toutes les suivre. Les médecins sont payés à des rabais de 30 % à 40 % de ce qu'ils méritent, ce qui représente une méthode de paiement peu adéquate et peu équitable, au profit du gouvernement et au détriment des malades et de la médecine.

Beaucoup de médecins sont peu optimistes, frustrés et négatifs devant cette lourdeur bureaucratique. Ils se voient dans un tunnel qui rétrécit de plus en plus au lieu de s'ouvrir vers plus de liberté. C'est déprimant de constater cette réalité professionnelle. L'enthousiasme baisse très vite, l'attitude aussi . . .

Dans un système courant de vente, la personne qui rend le service obtient un escompte de 30 % à 40 %, au lieu du gouvernement, et des bonis de 3 % à 25 % et même plus. C'est le principe universel du système de vente à paliers multiples où on reçoit un pourcentage du volume des ventes à la suite d'un travail ou d'un service rendu, soit à des clients, soit à des associés.

En développant l'art de la persuasion, je devenais un meilleur professeur. Ainsi, il s'agissait de développer une confiance inébranlable en moi et du courage.

Avec toutes mes expériences de mise en vente, j'étais prêt à développer un Centre de santé. J'étais prêt à aller au delà de la médecine scientifique, aidant les gens à se guérir de la peur, cette plaie de l'humanité.

Dans un premier temps, je devais développer une équipe d'entraîneurs mentaux, partenaires dans le progrès, une équipe qui serait parallèle à une autre équipe d'entraîneurs sur le plan physique.

Je devais attirer autour de moi des gens intéressés à motiver et à développer une attitude mentale positive, à la guérison d'attitudes négatives basées sur la peur, que ce soit l'esprit conservateur, traditionnel, la rigidité et l'étroitesse d'esprit, l'orgueil, l'hostilité, les préjugés, les doutes, le scepticisme, le cynisme, la gêne, l'anxiété, l'agressivité, l'ennui, la routine, la fatigue chronique, l'apathie, la dépression, etc.

L'équipe de motivateurs se servaient de livres, de cassettes, de conférences, d'ateliers et du principe du Master Mind Group, afin de travailler à sa propre croissance et à celle des autres.

Un aspect fondamental de cet entraînement est la répétition et la persistance. Il s'agit de le faire jusqu'au jour où on aiderait assez de gagnants autour de nous et que nous serions nous-mêmes des gagnants.

Il s'agissait d'aider assez d'hommes d'affaires à devenir des gagnants et dont nous aurions l'appui tôt ou tard. Nous pourrions alors développer un Centre de santé - pleine vie, ou centre d'auto-guérison.

Une telle attitude devait, à terme, être favorable aux gouvernements et aux industries, à cause des coûts croissants, en spirale, de la santé. Il s'agissait d'une solution en soins préventifs plutôt que curatifs. La médecine a bien meilleur goût.

Au coeur de la médecine préventive se situent le développement et le changement d'attitudes au sujet de soi et des autres. C'est ainsi que l'on commença à présenter des séminaires deux fois par semaine, de façon régulière et gratuite. Il s'agissait d'augmenter la lucidité, d'aider les gens à reconnaître leurs attitudes négatives et de les aider à prendre leurs responsabilités, à risquer le changement d'abord vers l'amour inconditionnel d'eux-mêmes.

Prescrire des sédatifs à des humains en proie à l'anxiété, l'angoisse, les phobies, les peurs de toutes sortes, cela ne guérit rien. Cela ne fait pas grand sens non plus pour moi, surtout pas sur une base régulière et à peine dans les temps de crise afin d'empêcher une surcharge. Mais lorsqu'on engourdit ou endort quelqu'un, on le rend à l'aise, on l'empêche de souffrir et de grandir par cette souffrance morale. On empêche cet humain de réfléchir, de méditer, de regarder ce qui doit être changé. On ne lui rend pas vraiment service. Aider l'humain à se guérir l'esprit d'attitudes négatives, à se guérir l'esprit afin de favoriser la guérison du corps, voilà une ambition légitime qui donne un sens à ma vie.

«*Il ne peut y avoir de guérison du corps si l'esprit est malade*», proclamait Platon, il y a deux mille cinq cents ans.

Je veux promouvoir la santé à son meilleur par une attitude mentale positive, une nutrition optimale et un bon conditionnement physique.

Au delà de la médecine scientifique, sans en renier ni dénigrer les bienfaits et les exploits, il existe le domaine de la motivation et de la guérison d'attitudes, qui mène vers l'excellence de la santé et le succès. Pourquoi pas!

L'idée d'un Centre de santé n'était pas uniquement la mienne, mais peut-être le temps était-il approprié. Aussi avons-nous décidé d'y aller. J'ai visité un centre semblable à Tiburon, en Californie, et j'y ai rencontré le professeur Jampolski, auteur de **Love is Letting Go of Fears** et de **Teach Only Love**, ainsi que le fondateur du Attitudinal Healing Center.

Un centre Pleine Vie, un centre de ressources de la santé à son meilleur, pourquoi pas?

«Rien ne peut arrêter une idée dont le temps est venu.» (Henry Ford)

MA SYMPHONIE INACHEVÉE

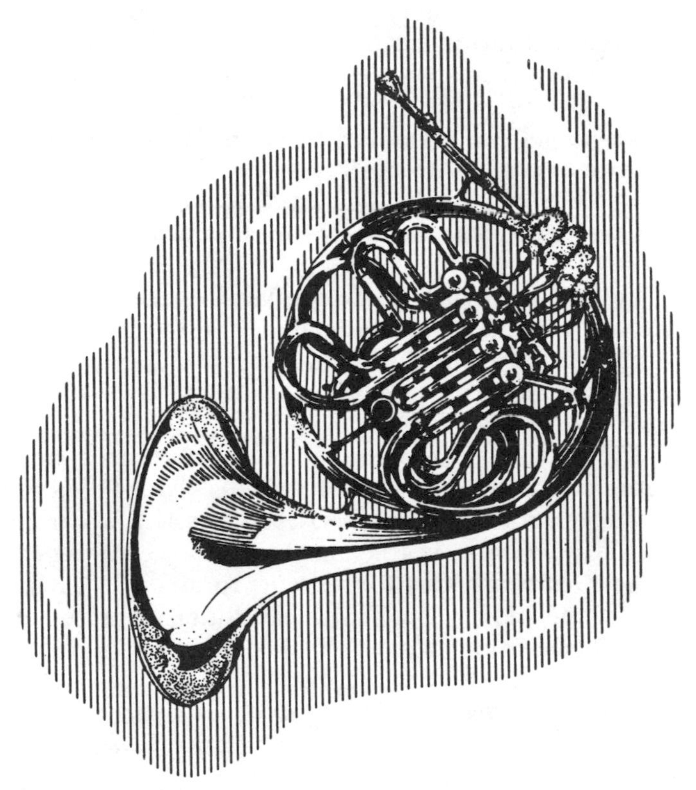

Ma symphonie est inachevée . . . Je n'ai pas fini de jouer toute ma musique, d'apprendre à aimer, à m'aimer et aimer les autres.

Tous les jours, je creuse et me dirige vers les racines de mon rêve. Je veux être en contact avec mes besoins et mes rêves les plus secrets et me nourrir par mes racines.

Chaque jour, je deviens de plus en plus fort. Chaque jour, je veux nourrir mon esprit conscient et subconscient avec du beau, avec du vrai, avec du positif. Chaque jour, je jeux laisser aller un peu plus de négatif, un peu plus de peurs. Chaque jour, je veux jouer, tel un enfant libre, explorer le monde, mon monde intérieur en premier. Chaque jour, je veux gagner un peu mieux, un peu plus . . . *Chaque jour, je veux donner ma réponse . . .*

Tout ce que j'ai essayé de faire, c'est de porter mon flambeau bien haut afin d'éclairer mon entourage. J'ai décidé de le passer à d'autres, surtout aux jeunes qui n'ont pas encore abandonné tout espoir de s'en sortir, à tous les jeunes de 15 à 45 ans, pour qui la vie n'a pas de sens.

J'ai le goût de les aider à se guérir de leurs attitudes négatives avant qu'à leur tour, ils ne deviennent des mourants et qu'il ne soit trop tard. J'ai le goût d'aider ces jeunes qui tiennent encore à la vie, même s'ils sont tentés de tout abandonner.

Le manque d'amour, de confiance en soi, l'image négative de soi, voilà la source des malaises profonds dont souffre notre monde, surtout celui de la jeunesse en proie à la solitude, à la frustration, à l'ennui, à la fatigue, à la violence, à l'apathie et au suicide.

L'amour est la réponse, la seule solution, à une paix intérieure et sur la terre. Quand les gens vivront d'amour, de cet amour qui a de nombreux visages, tels la coopération, le respect, la confiance, la tolérance, la patience, la générosité, plutôt que les peurs sous toutes leurs formes ou les masques, tels la compétition, la méfiance, le doute, l'entêtement, la rigidité, l'obstination, alors ce monde sera en bonne voie de guérison plutôt que de destruction.

Nous pouvons tous devenir des guérisseurs les uns pour les autres plutôt que des prophètes de peur ou des agresseurs par nos pensées et nos attitudes négatives.

Il n'appartient qu'à nous de nous guérir d'abord de nos attitudes négatives afin de pouvoir aider les autres autour de nous.

J'ai appris beaucoup de choses lors de mes contacts avec de nombreux humains, patients, amis, parents qui, directement ou indirectement, ont été pour moi des maîtres, mes vrais maîtres. J'ai beaucoup de choses à apprendre encore . . . et j'ai le goût d'apprendre . . .

J'ai envie d'être cet enfant libre qui questionne le monde autour de lui, qui veut aller partout et qui veut danser et chanter et jouer toute sa musique, tout son jeu. J'ai envie de m'unir à tous ces enfants du monde, de partager et de danser avec eux la danse de la vie, la danse du Tao, du changement, du Tai Chi . . .

J'ai le goût de devenir cet enfant libre de peurs, de pensées négatives, d'images négatives de soi, libre de peurs de toutes sortes. J'ai le goût du mouvement, de la nature, car tout dans la nature change, tout coule, comme le vent, les saisons, les rivières, les planètes . . .

LETTRE À SAÏD

À toi Saïd et à tous les autres Jonathan que je ne connais pas encore, Jeannette, Thérèse, Martin, Louise, etc., j'offre cette carte de route afin de vous aider à devenir plus humains, plus vivants, plus heureux.

Si tu as envie de te développer, ce livre est pour toi. Si tu sais voir le monde dans un grain de sable, si tu sais reconnaître l'essentiel de la vie, tels l'eau claire, l'air pur, la paix, l'amour, le plaisir, l'argent, le temps, et si tu sais en faire un heureux mélange, si tu as le goût d'aller au bout de toi, de voyager, de montrer, d'encourager, de stimuler les gens à grandir, à sortir de leurs peurs, à vivre pleinement leur vie, « pas juste des petits bouts» . . .

Si tu souhaites le succès, l'excellence, le dépassement de soi, une vie pleine, au bout, si tu sais apprécier le silence, la méditation, la solitude, la douleur comme autant de richesses, si tu es prêt à payer le prix du succès et de l'excellence par une reprogrammation de ton esprit et de ton coeur, alors viens, nous irons loin ensemble, au bout du monde . . .

L'avenir et la victoire, le succès et le bonheur appartiennent à ceux et celles qui seront les plus capables d'aimer.

Est-ce que tu vas risquer de jouer toute ta musique avant de mourir? Est-ce que tu vas risquer de devenir toi-même? Est-ce que tu vas risquer de devenir tout le Jonathan que tu dois devenir? J'espère cela de tout coeur pour toi.

Moi aussi, j'ai été seul, j'ai eu de nombreuses peurs. Moi aussi, j'ai eu une image négative de moi pendant trop longtemps.

Peut-être que tu pourras trouver une réponse à tes questions dans ce livre. Peut-être que l'amour est la réponse à toutes ces questions qui trottent dans ta tête.

Je te souhaite de te guérir d'abord au niveau de tes attitudes afin de devenir à ton tour un guérisseur autour de toi. Je te souhaite d'apprendre à aimer sans condition, toi-même d'abord et les autres ensuite, comme je t'aime.

Va paisiblement ton chemin . . . Essaie d'être heureux.

Bernard.

« *Ces fleurs, je les ai cueillies et en ai fait un bouquet pour te les présenter.* »
(Montaigne)

VA PAISIBLEMENT TON CHEMIN

Va paisiblement ton chemin à travers le bruit et la hâte et souviens-toi que le silence est paix. Autant que faire se peut et sans courber la tête, sois ami avec tes semblables; exprime ta vérité calmement et clairement; écoute les autres, même les plus ennuyeux ou les plus ignorants. Eux aussi ont quelque chose à dire. Fuis l'homme à la voix haute et autoritaire; il pèche contre l'esprit. Ne te compare pas aux autres par crainte de devenir vain ou amer car tu trouveras toujours meilleur ou pire que toi. Jouis de tes succès mais aussi de tes plans. Aime ton travail aussi humble soit-il car c'est un bien réel dans un monde incertain. Sois sage en affaires car le monde est trompeur. Mais n'ignore pas non plus que vertu il y a, que beaucoup d'hommes poursuivent un idéal et que l'héroïsme n'est pas chose si rare. Sois toi-même et surtout ne feins pas l'amitié; n'aborde pas non plus l'amour avec cynisme car malgré les vicissitudes et les désenchantements il est aussi vivace que l'herbe que tu foules. Incline-toi devant l'inévitable passage des ans laissant sans regret la jeunesse et ses plaisirs. Sache que pour être fort tu dois te préparer mais ne succombe pas aux craintes chimériques qu'engendrent souvent fatigue et solitude. En deça d'une sage discipline, sois bon avec toi-même. Tu es bien fils de l'univers, tout comme les arbres et les étoiles. Tu y as ta place. Quoi que tu en penses, il est clair que l'univers continue sa marche comme il se doit. Sois donc en paix avec Dieu, quel qu'il puisse être pour toi; et quelles que soient ta tâche et tes aspirations dans le bruit et la confusion, garde ton âme en paix. Malgré les vilenies, les labeurs, les rêves déçus, la vie a encore sa beauté. Sois prudent. Essaie d'être heureux.

Max Ehrmann.

T'ES CAPABLE . . . VAS-Y . . .

Qu'importe ton nom,
La grandeur de tes rêves ou de tes ambitions,
Il faut vouloir.
Tu sais que l'amour n'a pas d'âge
et que les saisons reviennent toujours
Tu dois y croire.
Tu sais que le monde t'appartient
et que tu peux aller plus loin.
Qu'importe où tu es
d'où tu viens,
qu'importe vers où te mènent les chemins.
Va jusqu'au bout.
L'avenir est entre tes mains.
Trace aujourd'hui ton chemin pour demain
selon tes goûts.
Tu sais que la vie t'appartient
et que tu peux aller plus loin.
Vas-y! Vas-y! T'es capable . . . Vas-y . . .

Jonathan le goéland a changé d'un programme de peur à un programme d'amour et s'est dirigé ensuite vers un programme de succès ou d'excellence.

Toi aussi, tu peux le faire à n'importe quel âge. Il n'est jamais trop tard . . . C'est entre tes mains . . . C'est au fond de toi . . . Cela fait partie de ta nature de devenir un gagnant. Il y a de l'espoir pour les fleurs, pour un monde meilleur, si tu oses te changer par l'intérieur . . . si tu oses faire ton cocon, te recueillir . . .

Commence dès maintenant. Laisse tomber tes peurs, tes excuses, tes rancoeurs, et commence à t'aimer gratuitement et tu verras . . .

Tu peux choisir ton ensemble d'attitudes ou ta façon de penser, de voir le monde, la vie et ses problèmes. Tu as la liberté de choisir la meilleure attitude ou la pire. Ce faisant, tu crées ou attires autour de toi la richesse ou la pauvreté, le bonheur, l'amitié ou la solitude, une santé à son meilleur ou la maladie.

Tu as la liberté, le libre choix de te reprogrammer ou te donner une nouvelle éducation, meilleure peut-être que la première qui a souvent été faite par hasard ou par erreur.

Tu peux entraîner ton coeur et ton esprit de nouveau, en te servant de techniques comme l'autohypnose, l'autosuggestion, la visualisation, le «bio-feedback», la répétition, la répétition, la répétition.

Tu as la liberté de contrôler tes pensées, tes sentiments, tes émotions et toutes tes réactions face à ton environnement et de résoudre les problèmes qui viennent de l'extérieur.

Par le contrôle de ta pensée, tu as la liberté de contrôler ton monde intérieur et, indirectement, d'influencer et de manipuler les forces du monde extérieur.

Viktor Frankl, ce psychiatre qui a vécu dans les camps de concentration, raconte dans son livre **Le Sens de la vie**, que tout humain peut être démuni de toutes libertés *mais qu'il a toujours cette liberté essentielle de choisir ses propres attitudes.*

Ceux qui sont sortis vainqueurs ou vivants de l'expérience des camps de concentration, période très dure (une personne sur cinq a survécu) étaient ceux qui s'étaient donné un objectif, un but, un rêve ou une ambition et qui avaient gardé une attitude positive vis-à-vis de la vie, qui voyaient encore quelque chose de beau dans un rayon de soleil, dans une fleur ou dans un insecte.

Peu importe le but, même s'il s'agit d'obtenir une revanche contre leurs gardiens, une attitude positive ou l'habitude de se fixer des objectifs est l'étape essentielle afin de survivre et d'obtenir le succès dans la vie.

Alors, trouve ton rêve et ton têve te trouvera . . .

Viens, viens grimper les montagnes . . . Rendez-vous au sommet . . . Choisis ta forme de programmation et si tu choisis un programme de succès, rends-toi au sommet . . .

Il n'appartient qu'à toi de mettre dans ton esprit conscient et subconscient la meilleure programmation, les meilleures idées, afin d'obtenir les meilleurs résultats.

Il n'appartient qu'à toi de décider à quelle catégorie de gens tu veux appartenir, c'est-à-dire parmi les 80 % de la population qui se noient dans leurs peurs, ou de vivre dans le bonheur et l'amour, comme 15 % des gens, ou te rendre au succès et de vivre une vie stimulante en relevant des défis, comme 5 % osent le faire.

C'est entre tes mains . . . Viens, je te donne rendez-vous au sommet.

Brise les chaînes de tes pensées négatives, de tes peurs, et tu briseras tes limites, même les limites physiques. La seule vraie loi est celle qui te libère. Tu dois découvrir le sens de ton existence et il se trouve au fond de toi-même. Tu dois regarder à l'intérieur de toi (rêves, ambitions, voix intérieure, sens de la vie, besoins, etc.). Ta vraie loi se trouve en dedans de toi. Nous devons tous regarder à l'intérieur de nous-mêmes régulièrement et fréquemment, tous les jours.

Tu as la liberté d'être tout toi, d'être libre, toi Saïd, Pierre, Paul, Marie, Josée . . . Tu as la liberté d'être libre, de voler toujours plus haut. Vas-y . . .

Écoute . . . Vois . . . Ressens . . . Sois . . . Aime . . .

C'est la fin . . . ou le commencement d'une nouvelle vie, d'une nouvelle façon de penser, de ressentir, de faire, d'être.

Écoute ce que Neil Diamond dit dans l'une de ses chansons extraites du film **Jonathan le goéland**:

J'ai déjà été comme ça auparavant . . .
J'ai été refusé . . . J'ai lutté et j'ai gagné . . .
J'ai déjà chanté . . .
Et je suis certain de chanter ma chanson de nouveau . . .

Certaines personnes doivent rire. D'autres doivent pleurer . . . Certaines personnes ont à réfléchir, à penser, à se poser des questions: pourquoi, comment, pourquoi, comment?

J'ai terminé . . . Je t'ai transmis mon amitié . . .

«C'est le coeur de l'homme qui doit être renouvelé afin de renouveler les systèmes, les institutions et les méthodes.» (Jean-Paul II)

C'EST UN CHOIX !

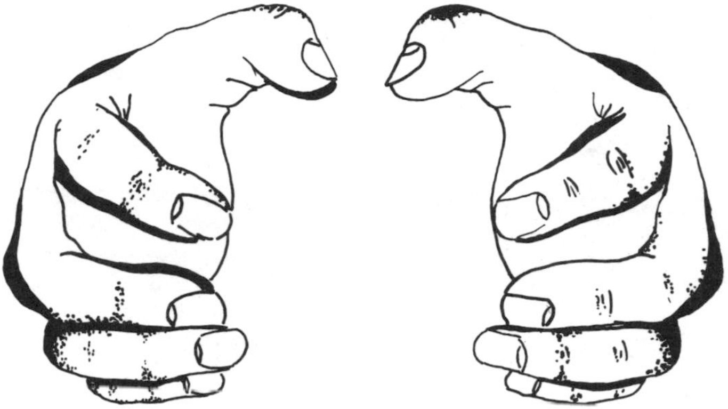

Bibliographie

André, Jacques, **Le Cru et le sauvage**, Paris, Éditions de la revue Vivre en harmonie.

Bach, Richard, **Jonathan Livingston Seagull**, New York, Avon, 1973.

Bristol, Claude, **The Magic of Believing**, Cornerstone.

Briston, C. et Sherman, H., **TNT, The Power Within You**, Englewood Cliffs, Prentice Hall, 1954.

Buscaglia, Leo, **Love**, New York, Fawcett Books, 1982.

Chaput, Jean-Marc, **Vivre, c'est vendre. Pourquoi et comment vendre**, Montréal, Éditions de l'Homme, 1975.

Carrel, Alexis, **L'Homme, cet inconnu**, Paris, Librairie Plon, 1975.

Cohen, Alain, **Bon appétit Messieurs! Les empires alimentaires**, Paris, Balland, 1976.

Conklin, Robert, **How to Get People to Do Things**, New York, Random House, 1982.

Delumeau, Jean, **La Peur en Occident, 15e – 18e siècles**, Paris, Fayard, 1978, et Paris, L.G.F., 1980.

Diamond, Neil, **The Neil Diamond Song Book**, New York, Delilah, 1982.

Dyer, Wayne, **The Sky's the Limit**, New York, Pocket Books, 1981.

Eggleton, Edward, Irvington Historical Society.

Ehrmann, **Desiderata**, New York, Crown Publishers, 1972.

Frank, Anne, **Le Journal d'Anne Frank** (avec huit contes inédits), Paris, Calmann Lévy, 1950.

Germain, Paul, **Cours de mécanique des milieux continus**, Paris, Masson, 1972 et 1980.

Emerson, Ralph Waldo, **The Works of Ralph Waldo Emerson**, Philadelphie.

Frankl, Viktor, **Man's Search for Meaning**, New York, Pocket Books, 1980.

Gardner, John W., **The Human Coalition of Self-Renewal (The individual and innovative society)**, New York, Norton, 1981.

Gray, Martin, **Les Forces de la vie**, Paris, Robert Laffont, 1975.

Hill, Napoleon, **Thin & Grow Rich**, New York, Dalton.

James, Allen, **As Man Thinketh**, New York, Putnam, 1959.

Jampolski, Gerald G., **Love is Letting Go of Fears**, New York, Bantam Books, 1982.

Janov, Arthur, **The Nature of Feelings.**

Keyes, Ven Jr., **Handbook to Higher Consciousness**, Coos Bay, Oregon Living Love Publishing.

---------, **Taming Your Mind**, Coos Bay, Oregon Living Love Publishing.

Kopps, Sheldon, **An End to Innocence Without Illusions: Facing Life**, Benton Books.
Kousmine, Dr C., **Sentez-vous bien dans votre assiette jusqu'à 80 ans et plus**, Paris, Éditions Tchou, 1980.
Naisbitt, John, **Megatrends**, New York, Warner Books, 1983.
Ostrander, Sheila, Schroeder, Lynn, et Ostrander, Nancy, **Super-Learning**, New York, Delacorte, 1981.
Overstreet, Bonaro, **Understanding Fear**, New York, Norton.
Peele, Stanton, **The Addictive Experience**, Hagelden Foundation, 1981.
Piper, Pat, **Trevelling Light, In Search of the Thin Self.**
Pomerantz, Charlotte, **All Asleep**, New York, Greenwich Books, 1984.
Ponder, Catherine P., **The Dynamic Laws of Prosperity & Prosperity Secret of the Ages**, Englewood Cliff, Prentice Hall.
Poray, André, **Recherche spirituelle**, Paris.
Rohn, James F., **The Seasons of Life**, Irwine, Discovery Publishing, 1981.
Ross, Skipp et Carlson, Carole, **Say Yes to Your Potential**, Waco, World Books, 1983.
Saint-Exupéry, **Le Petit Prince**, New York, Harbrace, 1943.
Satir, Virginai, **Self-Esteem – A Declaration**, Berkeley, Alestial Arts, 1975.
Scott, Dr M. (psychiatrist), **The Road Less Tavelled**, Touchstone Books, Simon and Schuster, New York, 1979.
Schuller, Robert D., **S'aimer soi-même**, Brossard, Un monde différent.
Thibon, Gustave, **L'Échelle de Jacob** (histoire de l'Église), Paris, Fayard, 1971.
Thoreau, Henry David, **Parnassus Imprints**, New York, Doubleday, 1984.
Toffler, Alvin, **Future Shock.**
Vanier, Jean, **Be Not Afraid and The Challenge of L'Arche**, Ramsey, Paulist Press, 1975.
Waerland, Are, **Santé pour tous**, Berne, Humata, 1980.
Wood, Ernest, **Mind and Memory Training.**
Zazzo, Dr René, Institut de biogénétique infantile, Paris.

Table des matières

Achevé d'imprimer sur les presses de l'imprimerie Gagné, à Louiseville (Québec), au mois de mars 1989, pour le compte des éditions Asticou.